A-Z SOUTH WALES VALLEYS WEST

Key to Map Pages

Map Pages **72-88**

C000084655

Motorway	**M4**
A Road	A470
Under Construction	
B Road	B4275
Dual Carriageway	
One Way Street	→
Traffic flow on A Roads is also indicated by a heavy line on the driver's left.	→
Restricted Access	
Pedestrianized Road	
Track / Footpath	==== ----
Residential Walkway	....
Railway	Heritage Station / Station / Tunnel / Level Crossing
Built Up Area	MARY ST.
Local Authority Boundary	— · — · —
Posttown Boundary	————
Postcode Boundary within Posttown	— — — —
Map Continuation	32

Car Park selected	P
Church or Chapel	†
Cycleway selected	⚲
Fire Station	■
Hospital	H
House Numbers A & B Roads only	13 8
Information Centre	i
National Grid Reference	³20
Police Station	▲
Post Office	★
Toilet: without facilities for the Disabled	▽
with facilities for the Disabled	▽
Viewpoint	※ ※
Educational Establishment	
Hospital or Hospice	
Industrial Building	
Leisure or Recreational Facility	
Place of Interest	
Public Building	
Shopping Centre or Market	
Other Selected Buildings	

SCALE: 1:15,840 4 inches (10.16 cm) to 1 mile, 6.31 cm to 1 kilometre

0	¼	½	¾	1 Mile
0	250 500 750	1 Kilometre		

Copyright of Geographers' A-Z Map Company Limited

Head Office:
Fairfield Road, Borough Green, Sevenoaks, Kent TN15 8PP
Telephone: 01732 781000 (General Enquiries & Trade Sales)

Showrooms:
44 Gray's Inn Road, London WC1X 8HX
Telephone: 020 7440 9500 (Retail Sales)
www.a-zmaps.co.uk

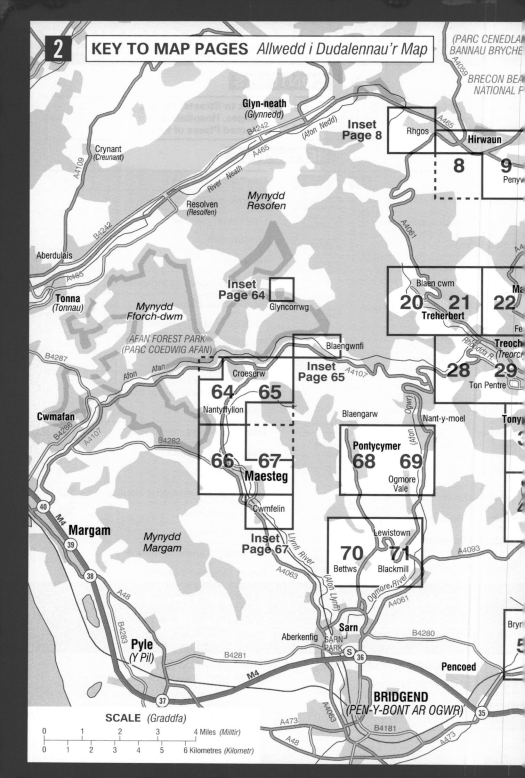

2

KEY TO MAP PAGES *Allwedd i Dudalennau'r Map*

(PARC CENEDLA...
BANNAU BRYCHE...

BRECON BEA...
NATIONAL P...

Glyn-neath
(Glynnedd)

Inset
Page 8

Rhgos

Hirwaun

8

9

Penyw...

Crynant
(Creunant)

Resolven
(Resolfen)

*Mynydd
Resofen*

Aberdulais

Inset
Page 64

Glyncorrwg

Blaen cwm

20 **21** **22**

Treherbert

Ma...

Fe...

Treoch...
(Treorc...

Tonna
(Tonnau)

*Mynydd
Fforch-dwm*

AFAN FOREST PARK
(PARC COEDWIG AFAN)

Blaengwnfi

28 **29**

Ton Pentre

Croeserw

Inset
Page 65

Cwmafan

64 **65**

Nantyffyllon

Blaengarw

Nant-y-moel

Tony...

66 **67**

Maesteg

Pontycymer

68 **69**

Ogmore
Vale

Cwmfelin

Inset
Page 67

Margam

*Mynydd
Margam*

Lewistown

70 **71**

Bettws

Blackmill

Bryr...

5

Pyle
(Y Pil)

Aberkenfig

Sarn

SARN
PARK

Pencoed

BRIDGEND
(PEN-Y-BONT AR OGWR)

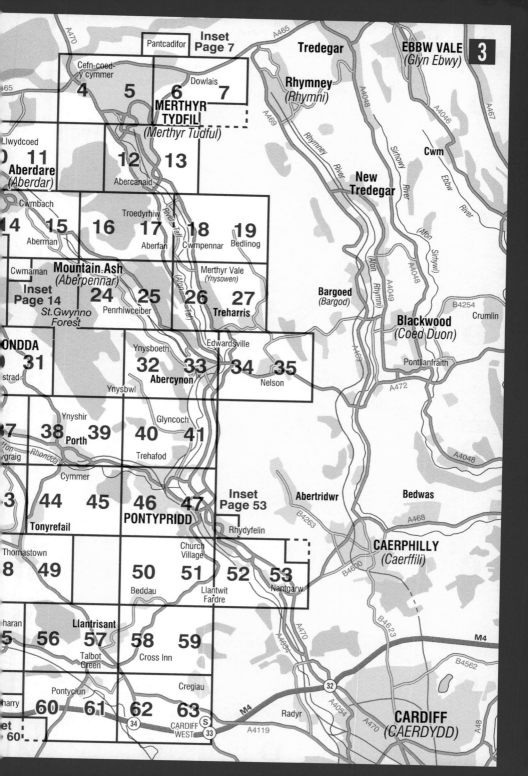

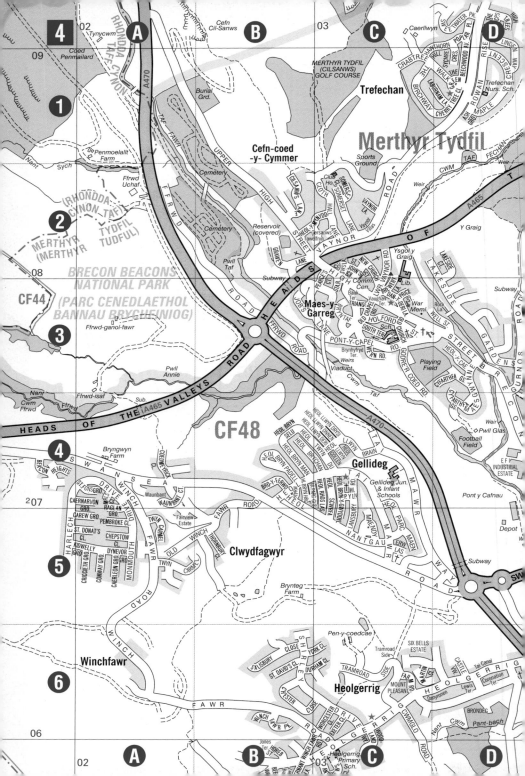

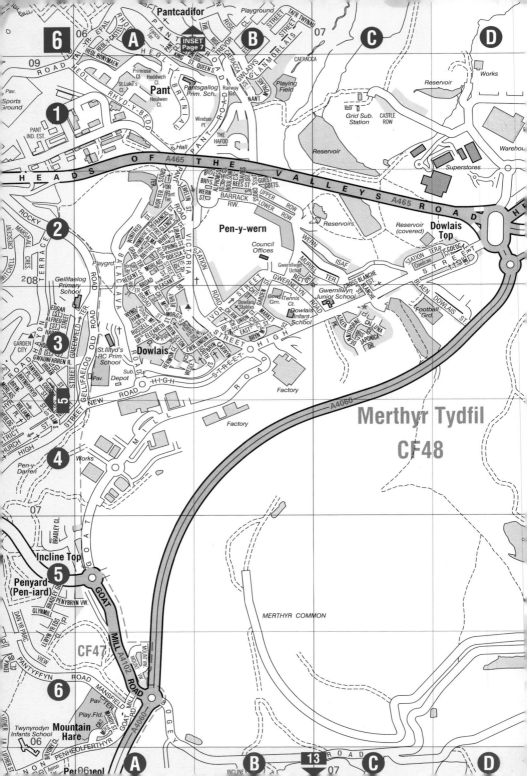

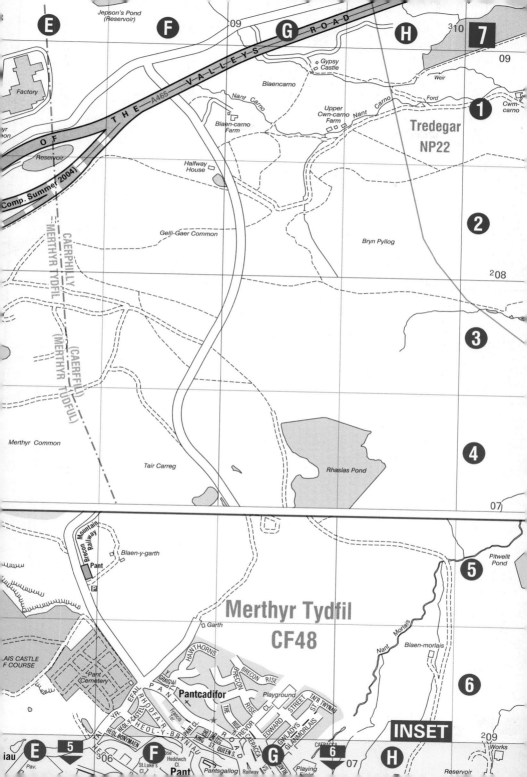

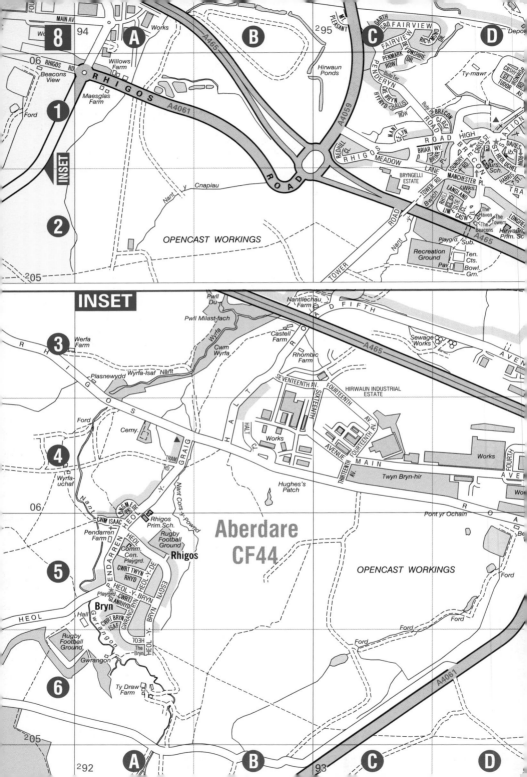

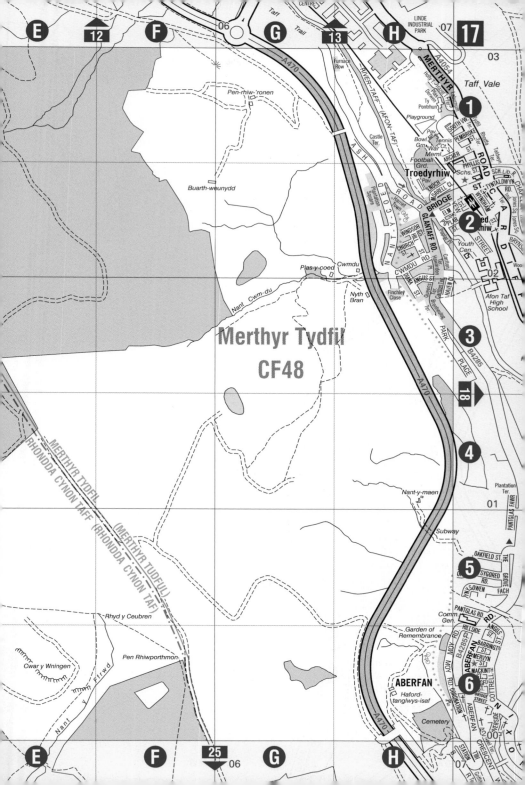

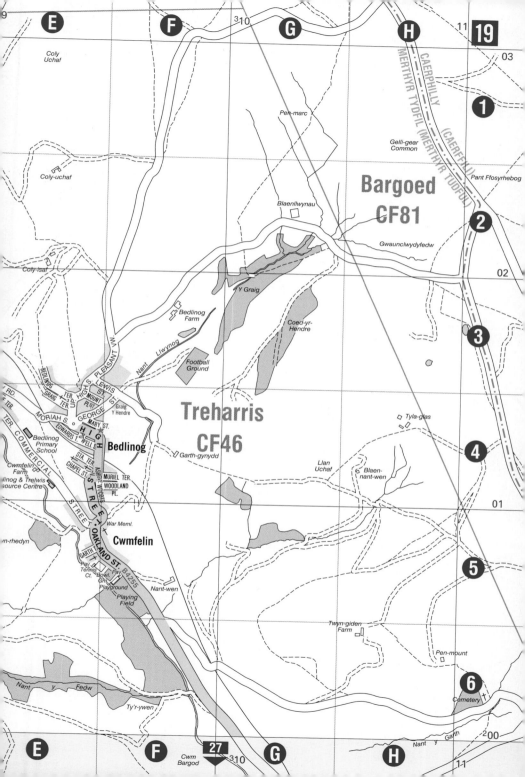

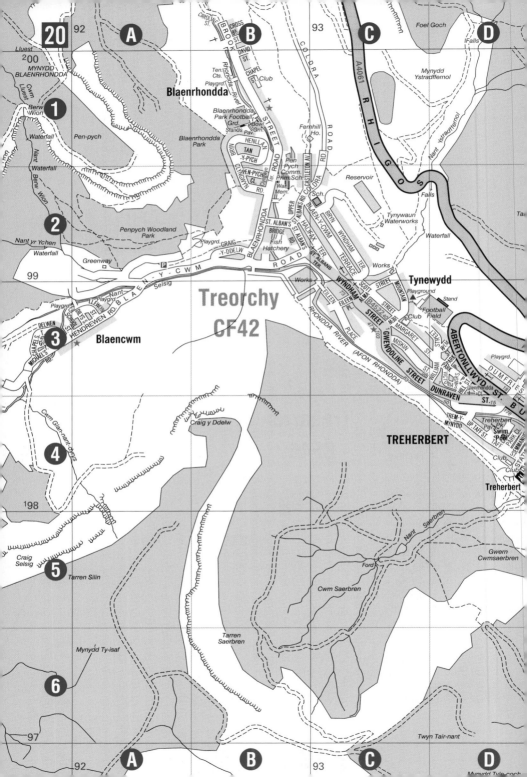

96 Nant y Gawrnant

200

Weirs

Castell Nos

Castell y Mawn

97

Bryn Du

Picnic Site

Bedd Eiddil

Cross Dyke

Carn Eiddil

Twyn Croesfford

Ford

A

B

C

D

1

Afon Rhondda Fach

Reservoir

2

99

Craig yr Aber

Factory

Water Works

Reservoir (covered)

3

21

Craig Am

Maerdy Farm

ROAD

WINGFIELD

MONK

BROK

DDY

WIGAN NORTH

PARK

ST.

WOOD

JAMES

GRIFFITH

RD.

PL.

Maerdy Park Pav. Bowl. Grn. Libr. Gdn. Mem.

Club

TERRACE

CARDWEN

STATION ROAD A4233

MAERDY

OXFORD

SUNNY

EDWARD

PARK

STREET

ST.

ST.

INSTITUTE

ST.

ST.

HILL

CHURCH

ST.

THOMAS

ST.

HILL

Maerdy Ct.

PENTRE RD.

SCHOOL

WILSON PL.

ST.

CL.

4

Waterfall

Nant Cwm-dau

198

Tanks

Bus Depot

Sch.

W.IISZN

Rowley

ST.

BROOK

ST.

Stand Football Grd.

Maerdy

Hall

ROAD

ME. ST.

Royal Cotts.

RICHA

GLYN CO

5

Treorchy CF42

Moel Uchaf

Mynydd Maerdy

Maerdy Junior School

HEOL

TAN Y

M

T

ROAD

Treorchy Cemetery

The Lodge

Nant Tyle-du

Nant Coly

CEFN Y RHONDDA

6

HEOL TYLE-DU

BRYN RHODFA

GLYNCOLI CL.

Glyncoli

Garswood

ORCHWY

CL.

SCHOOL

COLUMN

ST.

CADWGAN RD.

Hall

PROSPECT

GLYNCOLI

CHAPEL

TREORCHY (TREORCI)

97

96

BUTE ST.

TYNYBEDW

A

B

97

C

D

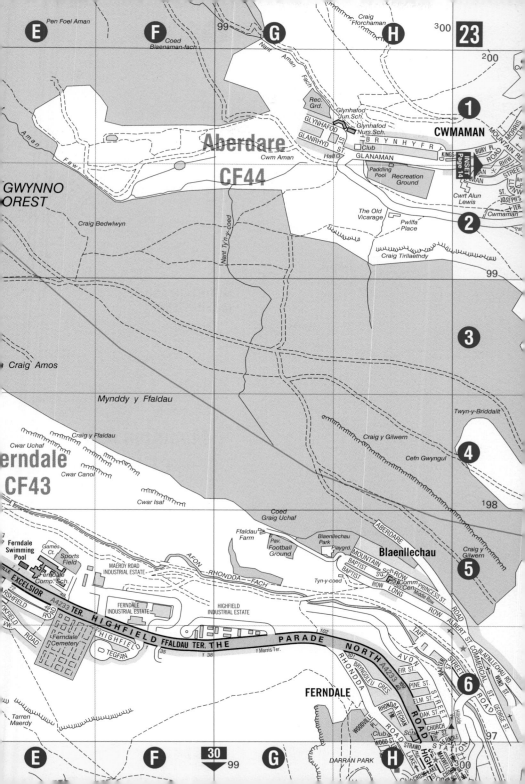

E   Pen Foel Aman
F   Coed Blaenaman-fach
G
H   Craig Fforchaman
300
200
Cv

99
Nant   Aman   Fach

Rec. Grd.

Glynhafod Jun.Sch.
Glynhafod Nurs Sch.
GLYNHAFOD ST.
GLANRHYD ST.
B R Y N H Y F R
Club
Hall
GLANAMAN

1
CWMAMAN

KINGS
BURY PL.
INSET Page 14
MOUNTAIN RD.
RHIW
MORRIS
ST.
LANW ST.
JOSEPH'S
TER.
Cwmaman

Aberdare
CF44

Cwm Aman

Paddling Pool
Recreation Ground

Cwrt Alun Lewis

2

GWYNNO
OREST

Craig Bedwlwyn

Nant Tyn-y-coed

The Old Vicarage
Pwllfa Place

Craig Tirllaethdy

99

3

Craig Amos

Mynddy y Ffaldau

Twyn-y-Briddallt

Craig y Ffaldau
Cwar Uchaf
Cwar Canol
Cwar Isaf

Craig y Gilwern
Cefn Gwyngul

4

198

erndale
CF43

Coed Graig Uchaf

Ffaldau Farm
Pav.
Football Ground
Blaenllechau Park
Playgrd.

ABERDARE

Craig y Gilwern

5

Ferndale Swimming Pool
Games Ct.
Sports Field
Ferndale Comp. Sch.
MAERDY ROAD INDUSTRIAL ESTATE
AFON   RHONDDA — FACH
MOUNTAIN
BAPTIST
BAPTIST
Sch.ROW
Comm.
Cefn Middle Row
PRINCESS ST.
Blaenllechau

EXCELSIOR
SHFIELD ROAD
A4233
HIGHFIELD TER.
FERNDALE INDUSTRIAL ESTATE
HIGHFIELD INDUSTRIAL ESTATE
Ferndale Cemetery
HIGHFIELD
FFALDAU TER.
THE   PARADE
102
NORTH
A4233
ROAD
TEGFAN
35
38
1 Morris Ter.
Tyn-y-coed
ROW   LONG
ROW
ALBERT ST.
COMMERCIAL ST.
BLAENLLECHAU RD.
WIND ST.
GEORGE ST.

Tarren Maerdy

FERNDALE
DARRAN PARK
RHONDDA
BRYNGOLEU CRES.
FIR ST.
PINE ST.
ELM ST.
OAK ST.
RHONDDA FECHAN
WOODVILLE
WOOD ST.
STRAND
AVON STREET
TAFF STREET
CHURCH
Club
HIGH
MAXWELL
6
97
300

E
F
G
H

30
99

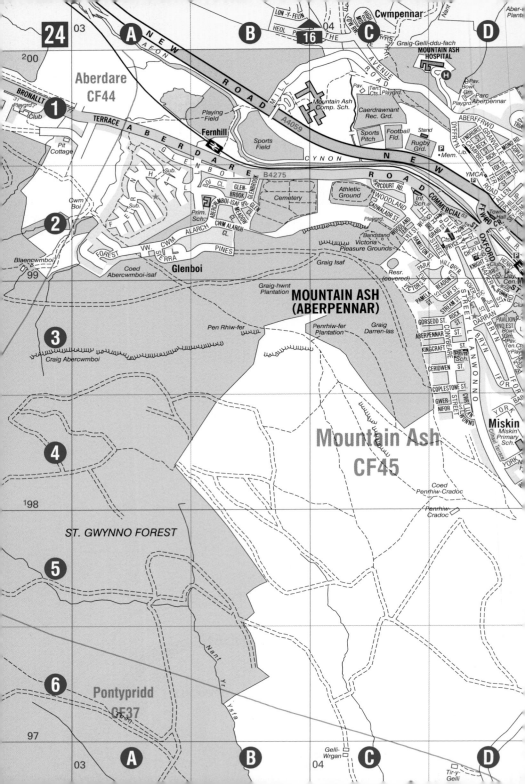

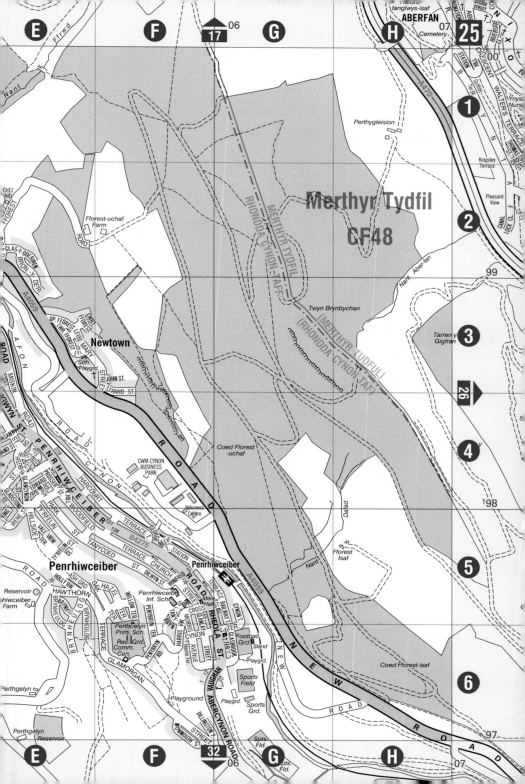

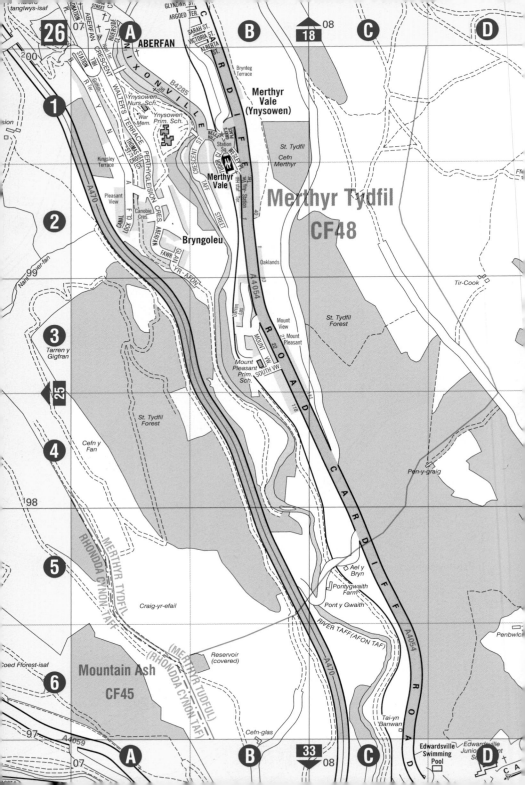

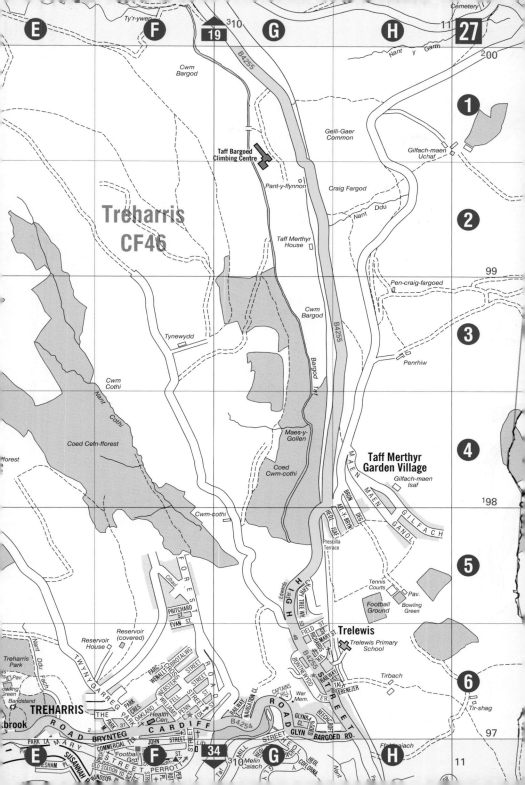

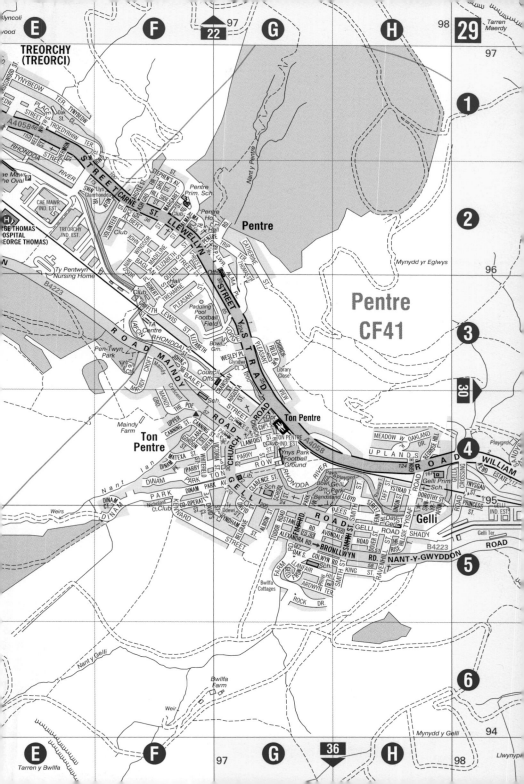

TREORCHY
(TREORCI)

Pentre

Pentre
CF41

Ton
Pentre

Ton Pentre

Gelli

Mynydd yr Eglwys

Mynydd y Gelli

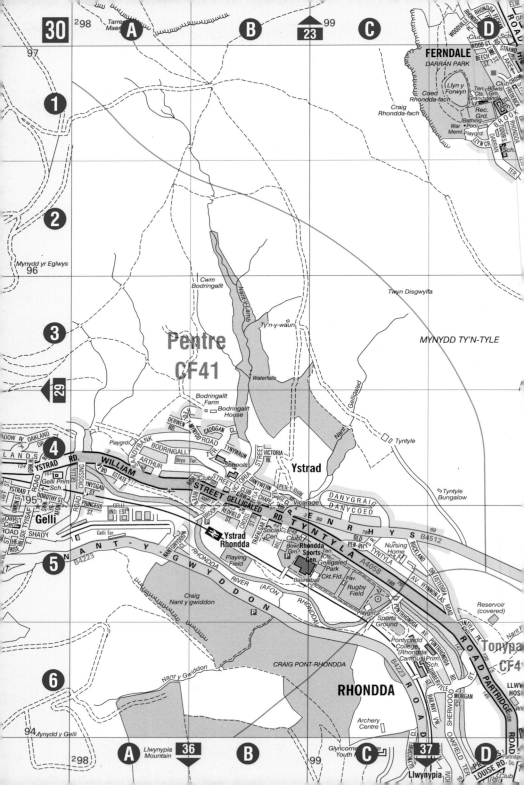

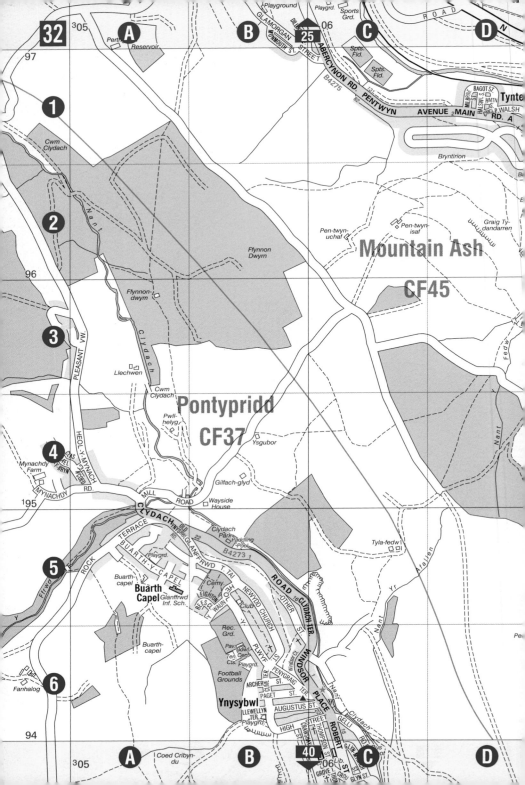

CARDIFF

RHONDDA CYNON TAFF

MERTHYR TYDFIL

(MERTHYR TYDFUL)

RHONDDA-CYNON-TAF)

Cefn-glas

Tai-yn Banwan

Edwardsville Swimming Pool

Edwardsville Junior & Infant Schools

ROAD

CARDIFF B4254

97

Pleasant Vw

The Villas

GROVE

PARK

Green

Bandstand

Treharne Ter.

TYN-Y-BANW

EDWARDSVILLE

The Avenue

Beechgrove

A4054

Res. (cov.)

Cerny

FOREST GROVE

1 Edwardsville

BIRCHGROVE

TAFF

Pipe Bridge

RIVER TAFF (AFON TAF)

WINDSOR

VALE

QUAKERS ROAD

SIDE

FIR

WESTWOOD

HILTON

Goitre-Coed

TRE-COED

Quakers Yard

TRAM ROAD SIDE

TRAM ROAD

2

Penlocks

Rose Hill

96

TRAM ROAD

A4059

A

F

O

N

Factory

YSBOETH FACTORY ESTATE

AVONDALE

BURN ST.

STREET

CAE-MAEN

LLINA RD

CROSS ST.

NANT-Y-FEDW

NANT-Y-FEDWN

EDW-FEWN

Darren y Celyn

PONTCYNON IND. EST.

A470

Mynydd Goetre-coed

Treharris CF46

Reservoir (covered)

boeth

CEMETERY

250

244

PONT-Y-CYNON TER

PONTCYNON TER

228

Depot

Pontcynon

B4275

PARK

ROAD

B4275

OLD CEMETERY ROAD

Play. Flds.

Parc Abercynon Stands

Pav.

Playing Fld.

PARK VIEW

Bowl.

Gym. Ysgol Gynradd Gymraeg Abercynon

Playgrd.

Games Cts.

GREENFIELD

A4059

Goitre-coed

Incline Top

GOITRE COED ISAF

GOITRE COED ISAF

R O A D

3

34

195

Abercynon Cemetery

Gilfach 'rhyd

Abercynon

Abercynon Spts. Cen.

THE BEECHES

Abertaf Prim. Sch.

Abertaf FLATS

FIFE ST.

SPRINGFIELD

STEPHENS DR.

FAIRVIEW

JENKIN ST.

LOCK ST.

WOODLAND

A470

A4054

CYNON ROAD

BRIDLE ST.

Playgrd.

KNIGHT'S

CR.

WOODLANDS

PLACE

4

Pen-y-parc

PLANTATION ROAD

MOUNTAIN ASH ROAD

GOED

BASSETT ST.

THISTIN

WEST

FIRST

Ynysmeurig Bridge

GLANCYNON TER.

ALEXANDRA

WOODLAND RD

Ynysmeurig

Darren y Foel

Carnetown Prim. Sch.

SALISBURY

ROAD

ANN ST.

EAST

HERBERT

WATER ST.

Abercynon Inf. Sch.

Club

St Martins C.in.W.

Soc. Cen. Hlth.

TAF Basin

Pont y Ffrwd

5

Carnetown Prim. Sch.

ABERDARE

STREET

PARK

TRESSILIAN PL.

ELIZABETH

ROAD

BRADLEY

VELINDRE

WILLIAM ST.

DAVID DRIVE

STH. CLWOOD

GERTRUDE ST.

Hall

Club St.

IMPERIAL

GWLNE ROAD

Abercynon North

STH. TER.

MARTIN'S TER.

B4275

Abercynon South

Cefn-y-Garth

Carnetown

CARDIFF

TAFF TER.

HILL TER.

NASH RD

SPENCER RD

STATION

NEW ST.

Playgrd.

RIVER TAFF (AFON TAF)

Navigation Park

Innovation Cen.

Pontypridd CF37

Nant

6

Sewage Farm

A470

A4054

94

Football Grd.

Garth-fawr

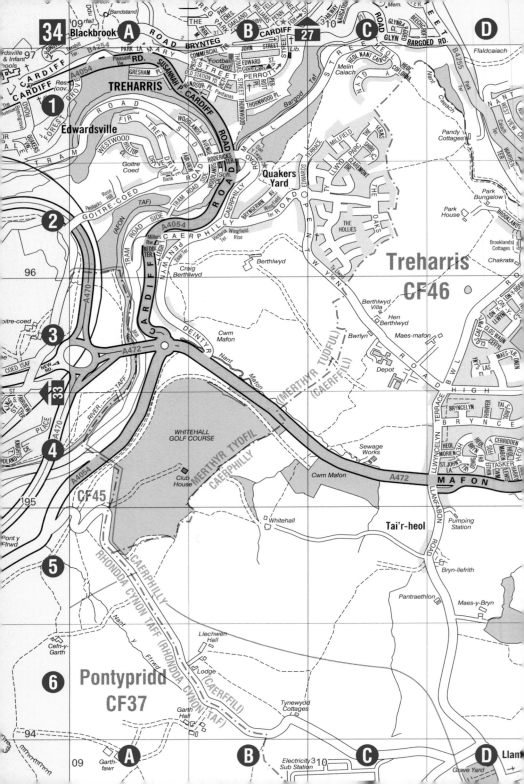

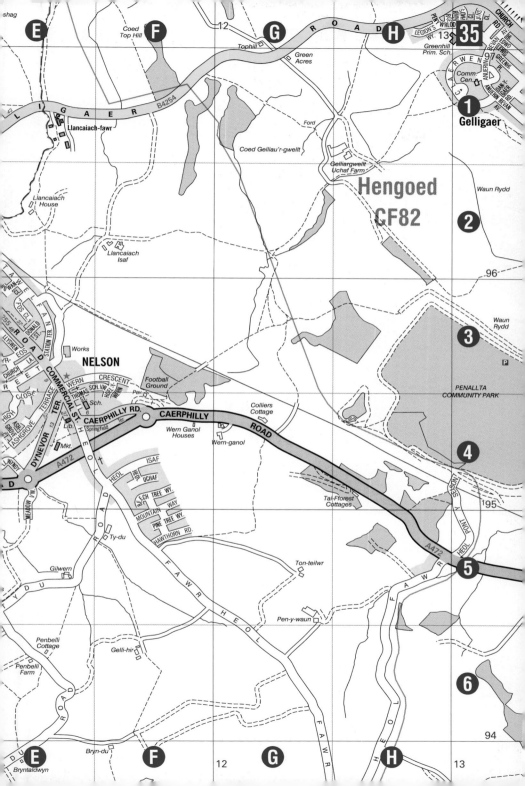

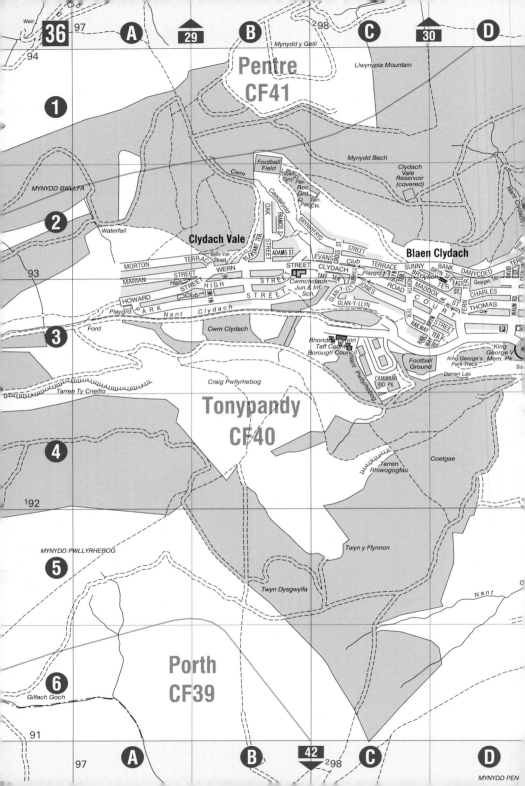

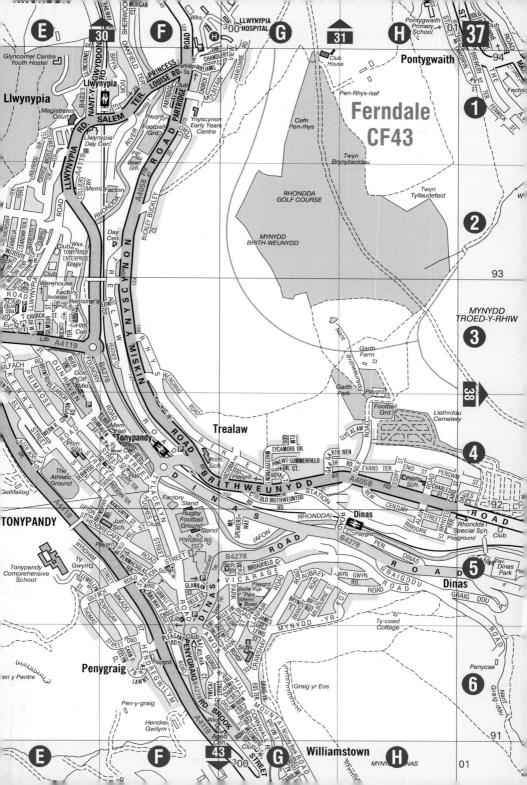

Ferndale
CF43

Pontygwaith

MYNYDD
TROED-Y-RHIW

RHONDDA
GOLF COURSE

MYNYDD
BRITH-WEUNYDD

Llwynypia

Trealaw

TONYPANDY

Dinas

Dinas

Penygraig

Williamstown

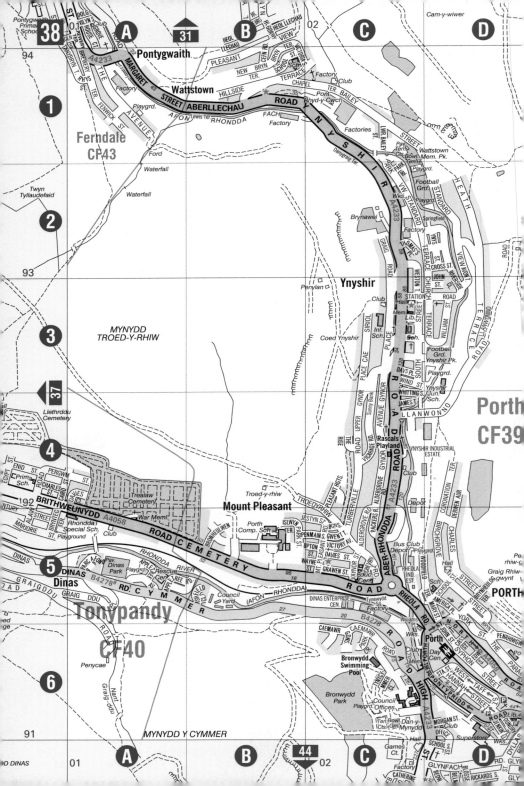

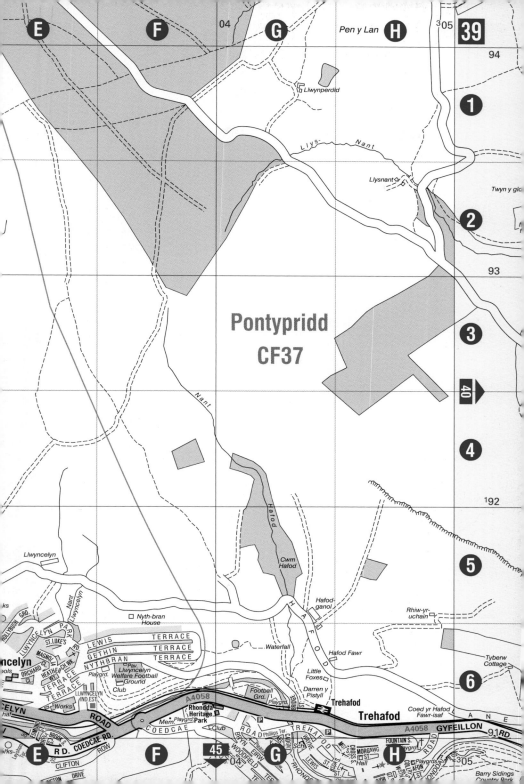

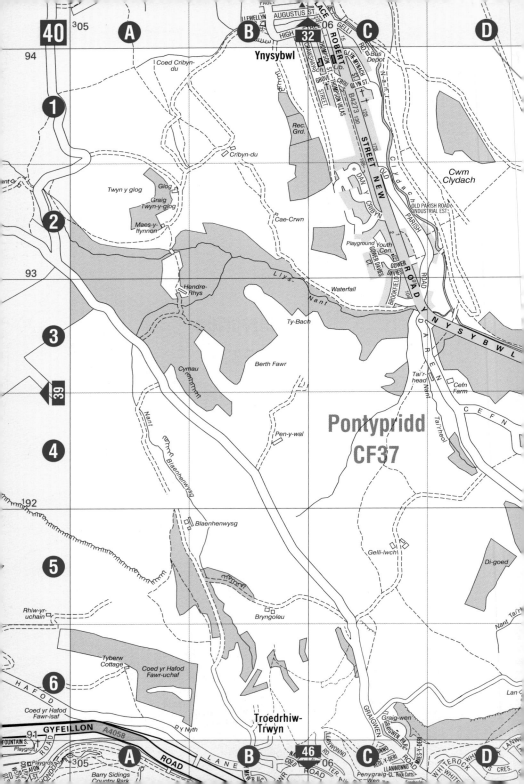

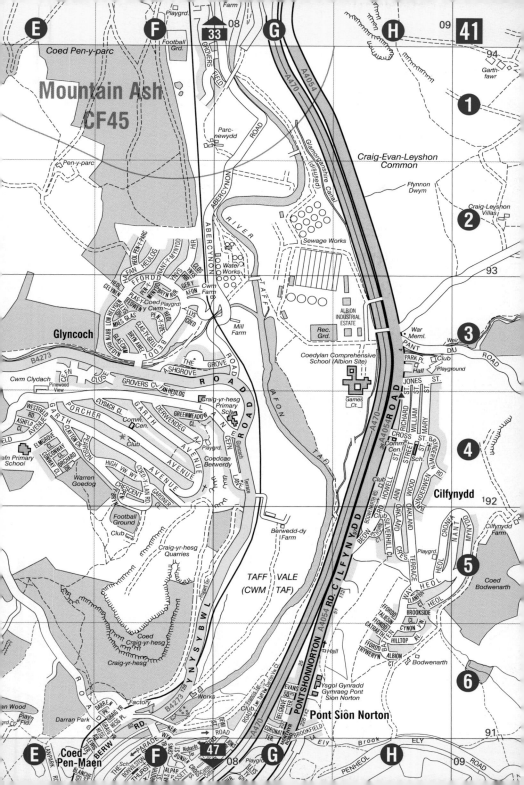

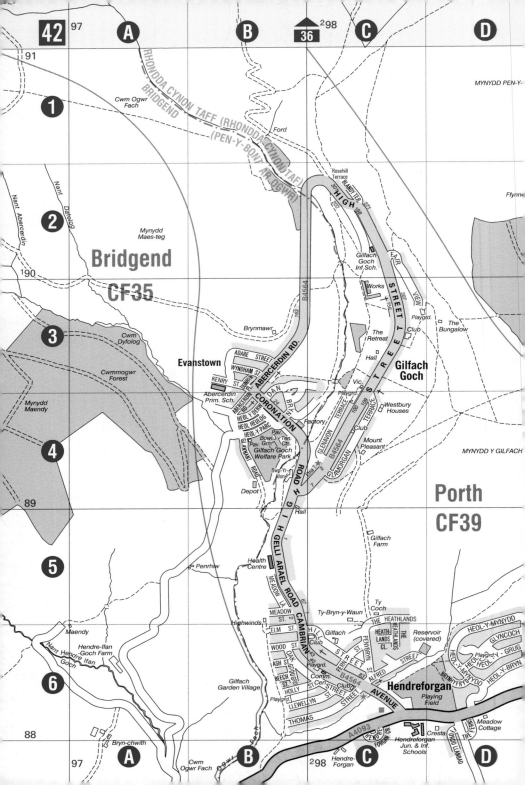

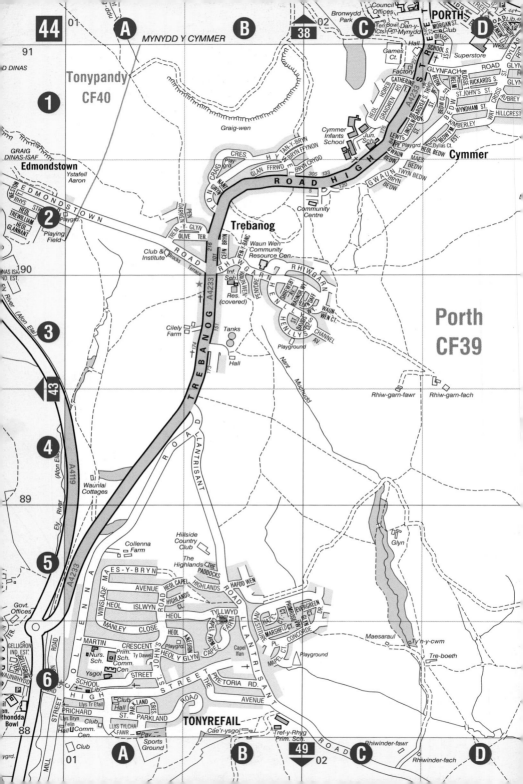

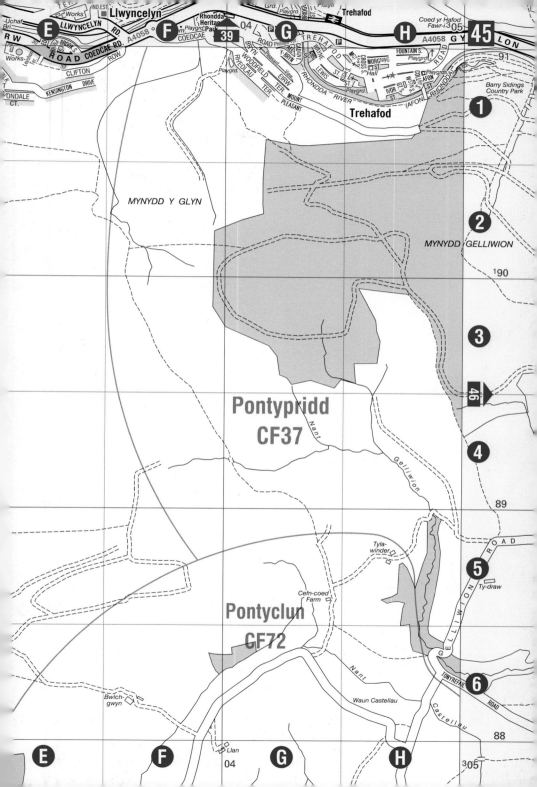

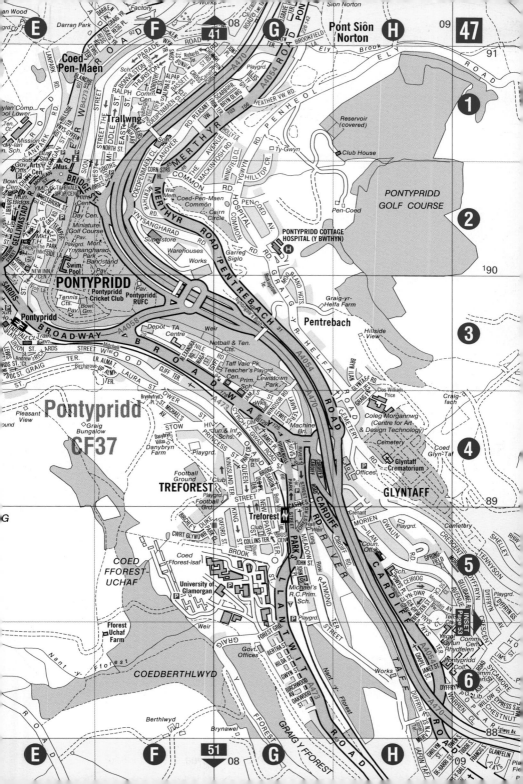

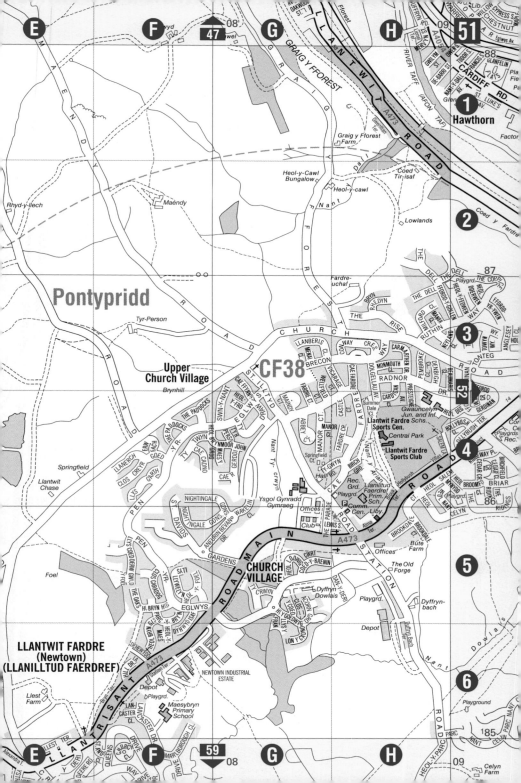

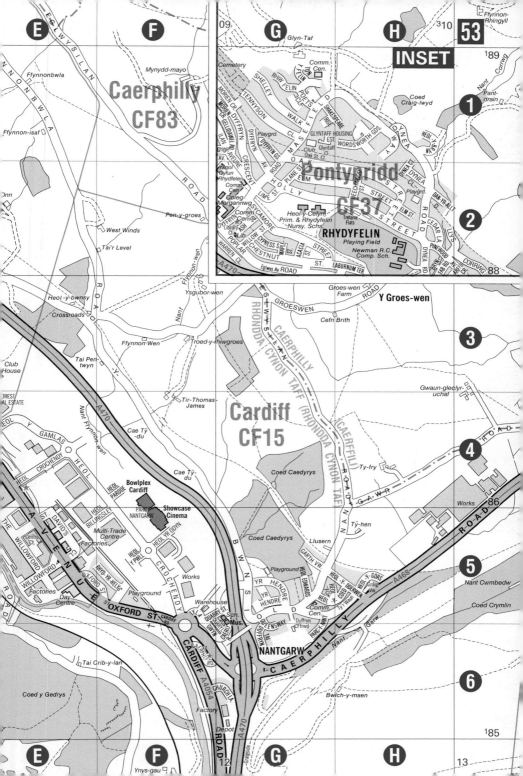

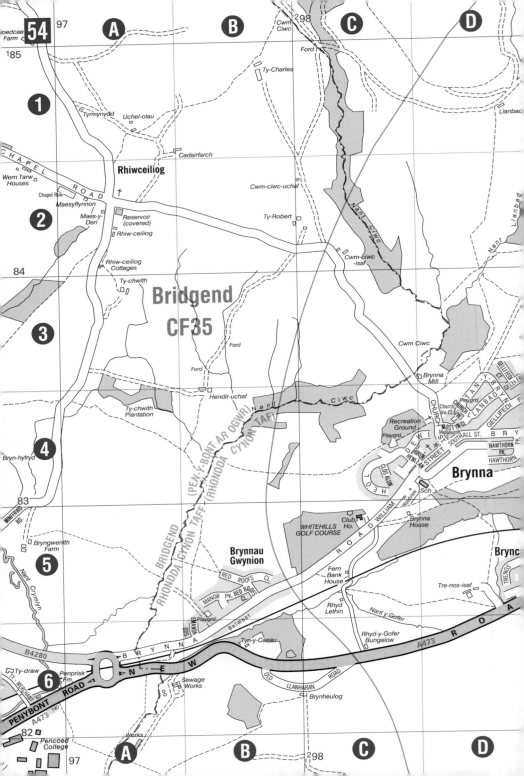

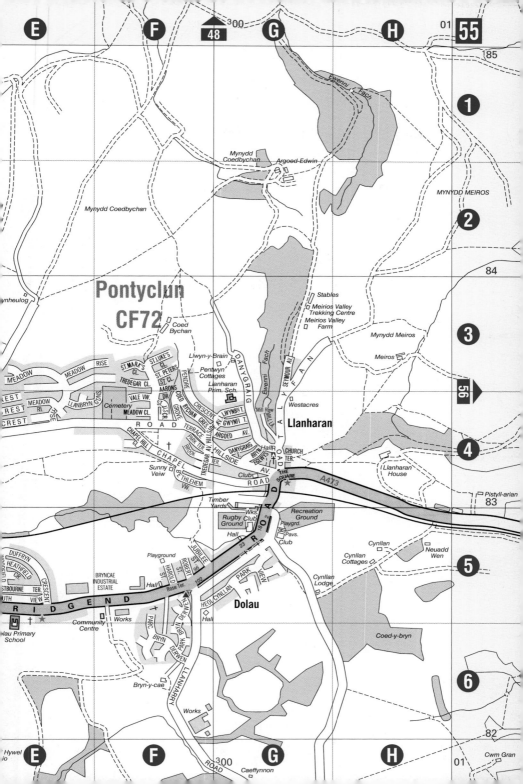

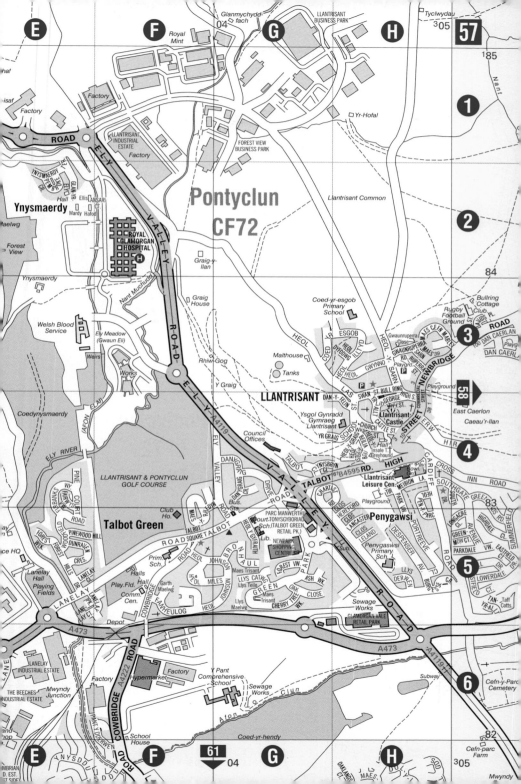

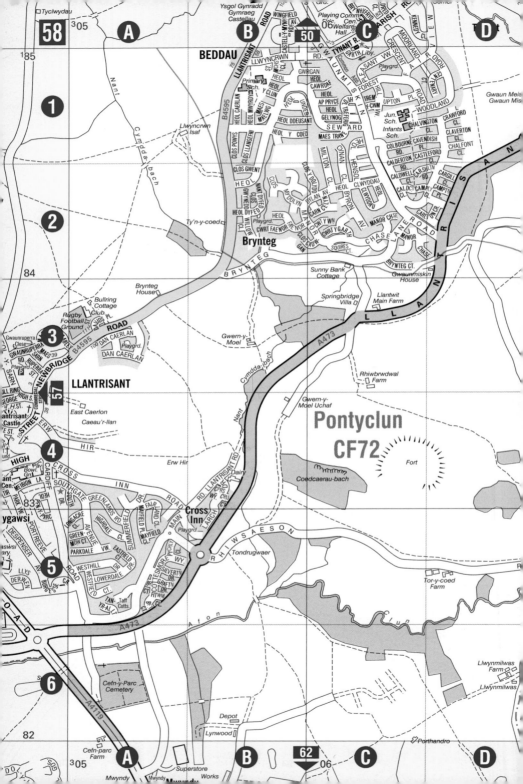

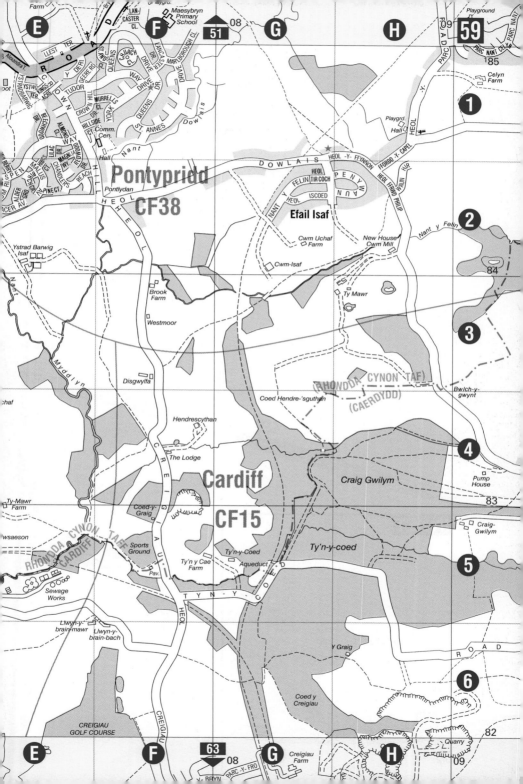

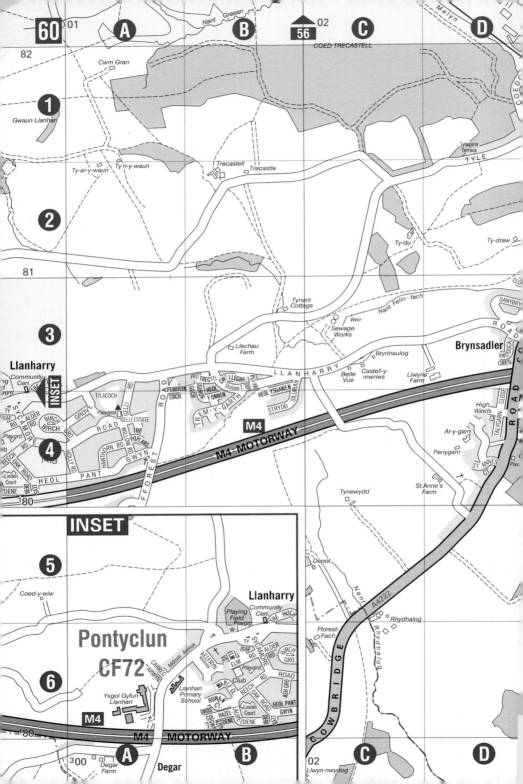

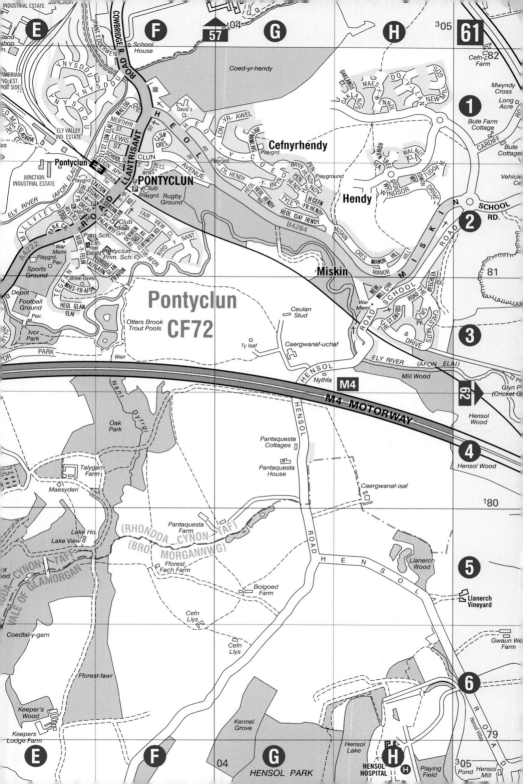

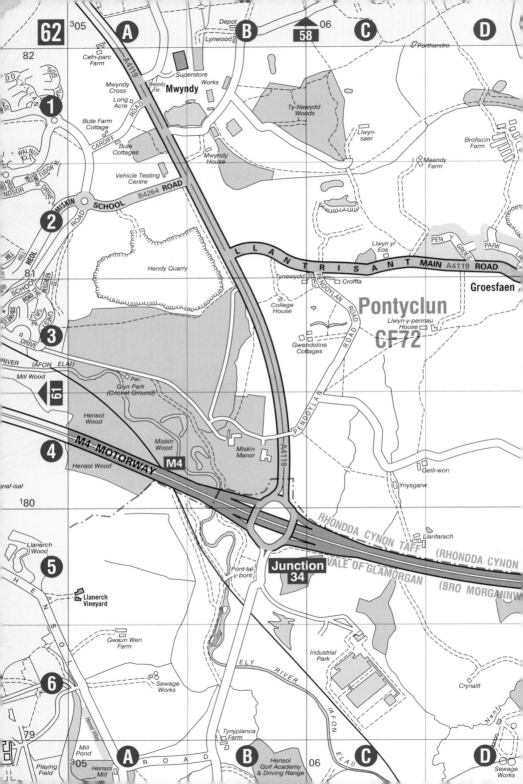

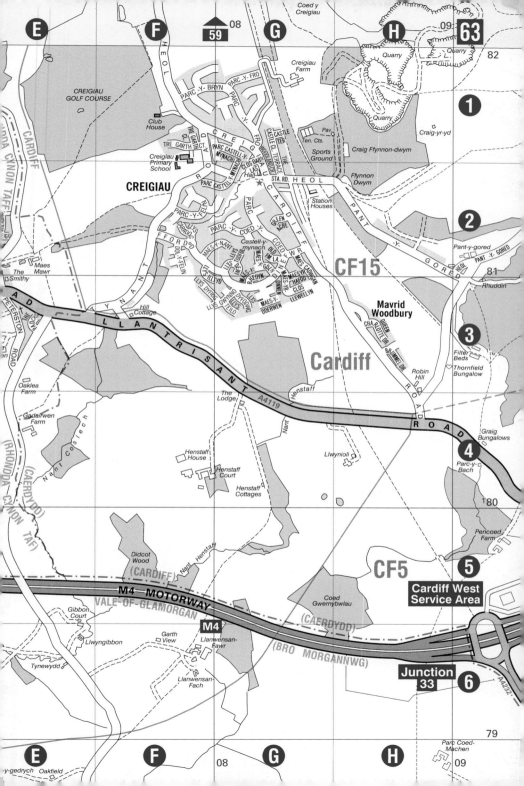

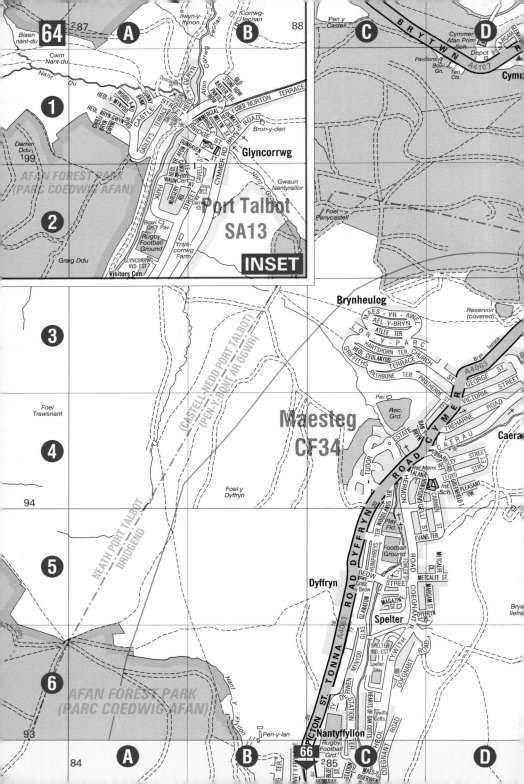

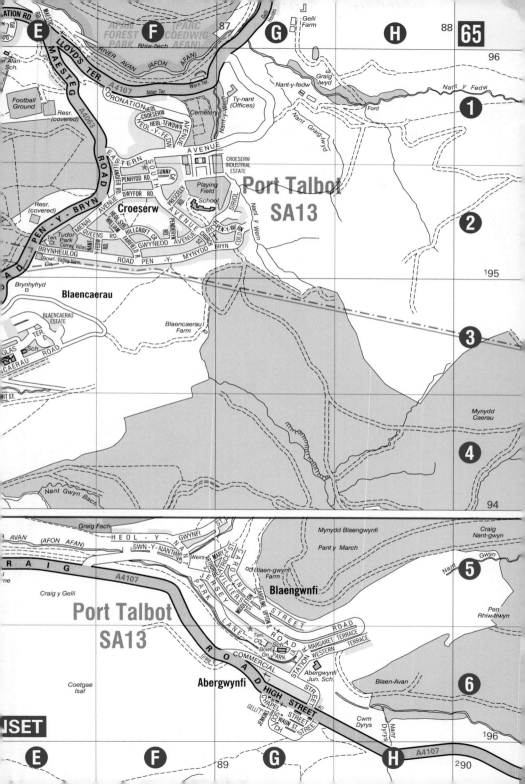

Port Talbot

SA13

Croeserw

Blaencaerau

Blaengwnfi

Port Talbot

SA13

Abergwynfi

INSET

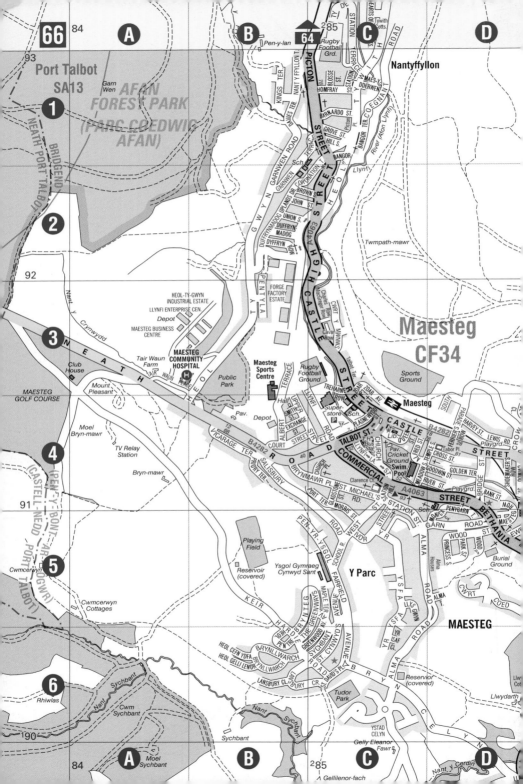

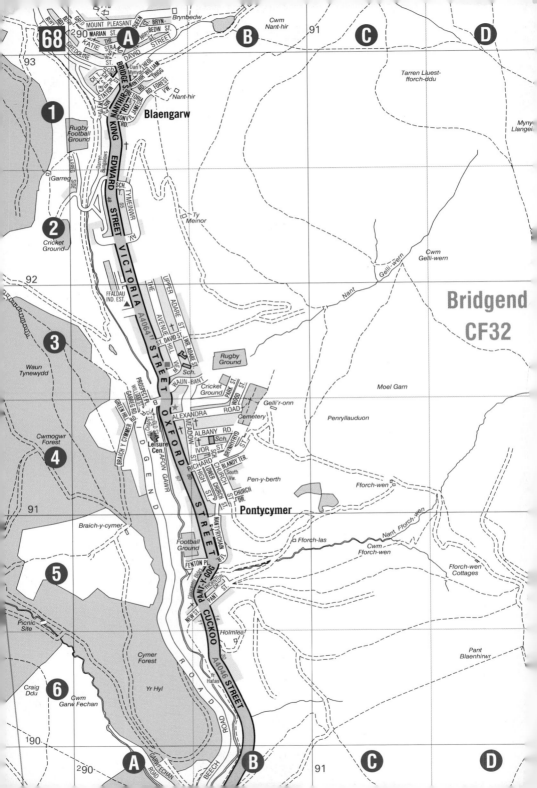

68

Blaengarw

Pontycymer

**Bridgend
CF32**

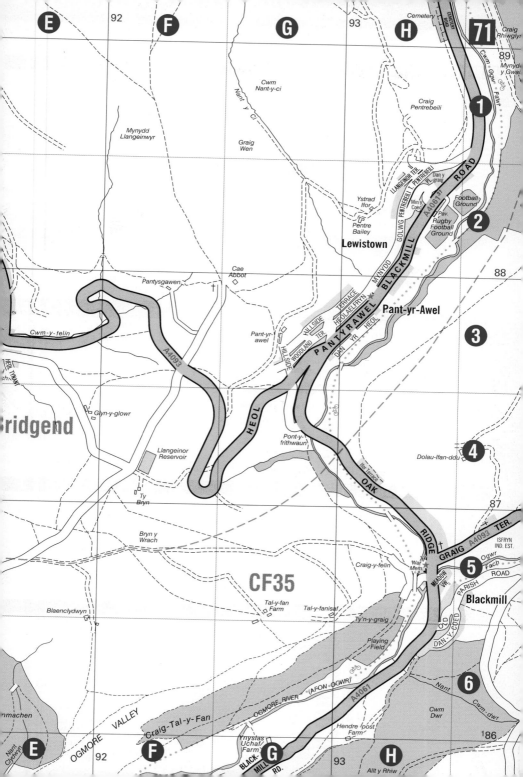

INDEX

Including Streets, Places & Areas, Hospitals & Hospices, Industrial Estates,
Selected Flats & Walkways, Stations and Selected Places of Interest.

HOW TO USE THIS INDEX

1. Each street name is followed by its Postcode District and then by its Locality abbreviation(s) and then by its map reference;
   e.g. **Abercerdin Rd.** CF39: Evan . . . .4B **42** is in the CF39 Postcode District and the Evanstown Locality and is to be found in square 4B on page **42**.
   The page number is shown in bold type.

2. A strict alphabetical order is followed in which Av., Rd., St., etc. (though abbreviated) are read in full and as part of the street name;
   e.g. **Ash Cres.** appears after **Ashbourne Ct.** but before **Ashdale Rd.**

3. Streets and a selection of flats and walkways too small to be shown on the maps, appear in the index with the thoroughfare to which it is connected shown
   in brackets; e.g. **Alexandra Ter.** CF47: M Tydfil. . . .1C **12** (off Twynyrodyn Rd.)

4. Addresses that are in more than one part are referred to as not continuous.

5. Places and areas are shown in the index in **BLUE TYPE** and the map reference is to the actual map square in which the town centre or area is located and
   not to the place name shown on the map; e.g. **ABERAMAN. . . . 4E 15**

6. An example of a selected place of interest is **Cyfarthfa Castle & Mus.** 4E 5

7. An example of a station is **Aberdare Station (Rail)** 1C 14

8. An example of a hospital or hospice is **ABERDARE GENERAL HOSPITAL.** 6F 11

MYNEGAI

Yn cynnwys Strydoedd, Lleoedd ac Ardaloedd, Ysbytai a Hosbisys, Stadau Diwydiannol,
Fflatiau a Llwybrau Troed dethol, Gorsafoedd a Detholiad o Fannau Diddorol.

SUD I DDEFNYDDIO'R MYNEGAI HWN

1. Dilynir pob enw stryd gan ei Ardal Cod Post ac wedyn gan fyrfodd(au) ei Leoliad ac wedyn gan ei gyfeirnod map.
   e.e. Mae **Abercerdin Rd.** CF39: Evan . . . .4B **42** yn Ardal Cod Post CF39 a Lleoliad Evanstown a gellir dod o hyd iddi yn sgwâr 4B ar dudalen **42**.
   Dangosir Rhif y Dudalen mewn teip trwm.

2. Glynir yn gaeth wrth drefn y wyddor, gyda Av., Rd., St., ayb (er eu bod wedi eu talfyrru) yn cael eu darllen yn llawn ac fel rhan o enw'r stryd;
   e.e. mae **Ash Cres.** yn ymddangos ar ôl **Ashbourne Ct.** ond cyn **Ashdale Rd.**

3. Mae strydoedd a detholiad o fflatiau a llwybrau troed sy'n rhy fychan i'w dangos ar y mapiau, yn ymddangos yn y mynegai gyda'r dramwyfa y mae'n
   gysylltiedig â hi wedi'i dangos mewn cromfachau; e.e. **Alexandra Ter.** CF47: M Tydfil. . . .1C **12** (off Twynyrodyn Rd.)

4. Cyfeirir at gyfeiriadau sydd mewn mwy nag un rhan fel cyfeiriadau nan ydynt yn barhaus.

5. Dangosir ardaloedd a lleoedd yn y mynegai mewn **TEIP GLAS** ac mae'r cyfeirnod map yn cyfeirio at y sgwâr ar y map lle mae lleoliad canol y dref neu'r ardal
   ac nid at yr enw lle a ddangosir ar y map; e.e. **ABERAMAN. . . . 4E 15**

6. Enghraifft o fan diddorol dethol yw **Cyfarthfa Castle & Mus.** 4E 5

7. Enghraifft o orsaf yw **Aberdare Station (Rail)** 1C 14

8. Enghraifft o Ysbyty neu Hosbis yw **ABERDARE GENERAL HOSPITAL.** 6F 11

GENERAL ABBREVIATIONS *Talfyriadau Cyffredinol*

App. : Approach	**Ent.** : Enterprise	**Mkt.** : Market	**Sth.** : South
Av. : Avenue	**Est.** : Estate	**Mdw.** : Meadow	**Sq.** : Square
Bri. : Bridge	**Fld.** : Field	**Mdws.** : Meadows	**St.** : Street
Bldgs. : Buildings	**Gdns.** : Gardens	**M.** : Mews	**Ter.** : Terrace
Bungs. : Bungalows	**Gt.** : Great	**Mt.** : Mount	**Up.** : Upper
Bus. : Business	**Gro.** : Grove	**Mus.** : Museum	**Va.** : Vale
Cvn. : Caravan	**Hgts.** : Heights	**Nth.** : North	**Vw.** : View
Cen. : Centre	**Ho.** : House	**Pde.** : Parade	**Vs.** : Villas
Cl. : Close	**Ho's.** : Houses	**Pk.** : Park	**Vis.** : Visitors
Cotts. : Cottages	**Ind.** : Industrial	**Pl.** : Place	**Wlk.** : Walk
Ct. : Court	**Info.** : Information	**Ri.** : Rise	**W.** : West
Cres. : Crescent	**La.** : Lane	**Rd.** : Road	**Yd.** : Yard
Cft. : Croft	**Lit.** : Little	**Rdbt.** : Roundabout	
Dr. : Drive	**Lwr.** : Lower	**Shop.** : Shopping	

LOCALITY ABBREVIATIONS *Byrfoddau Lleoliadau*

A'man : **Aberaman**	Caerau : **Caerau**	Glyn : **Glyncoch**	M Tydfil : **Merthyr Tydfil**
A'naid : **Abercanaid**	Caer : **Caerphilly**	G'cwg : **Glyncorrwg**	M Vale : **Merthyr Vale**
A'boi : **Abercwmboi**	Cefn C : **Cefn-coed-y-Cymmer**	G'mmer : **Glyncymmer**	M Ash : **Mountain Ash**
A'non : **Abercynon**	Chu V : **Church Village**	Groes F : **Groes-Faen**	N'grw : **Nantgarw**
A'dare : **Aberdare**	C'fydd : **Cilfynydd**	Hend : **Hendreforgan**	Nantyff : **Nantyffyllon**
A'fan : **Aberfan**	Cre : **Creigiau**	Hens : **Hensol**	N moel : **Nant-y-moel**
Aberg : **Abergwynfi**	Croes : **Croeserw**	H'rrig : **Heolgerrig**	Nels : **Nelson**
Abert : **Abertridwr**	C Inn : **Cross Inn**	Hirw : **Hirwaun**	Ogm V : **Ogmore Vale**
Bed : **Beddau**	C'man : **Cwmaman**	Lew : **Lewistown**	Pant : **Pant**
B'nog : **Bedlinog**	C'bach : **Cwmbach**	L'nor : **Llangeinor**	P'coed : **Pencoed**
B'mll : **Blackmill**	C'dare : **Cwmdare**	L'haran : **Llanharan**	P'rhys : **Penrhys**
B'cwm : **Blaencwm**	Dowl : **Dowlais**	L'harry : **Llanharry**	Pentre : **Pentre**
B'grw : **Blaengarw**	E Isaf : **Efail Isaf**	L'sant : **Llantrisant**	P'bach : **Pentrebach**
B'gnfi : **Blaengwynfi**	Evan : **Evanstown**	Llan F : **Llantwit Fardre**	P'rch : **Pentyrch**
B'ndda : **Blaenrhondda**	Fern : **Ferndale**	L'coed : **Llwydcoed**	P'cae : **Penycoedcae**
B'cae : **Bryncae**	Gelli : **Gelli**	L'nypia : **Llwynypia**	P'graig : **Penygraig**
B'myn : **Brynmenyn**	G'gaer : **Gelligaer**	Maer : **Maerdy**	Peny : **Penywaun**
B'nna : **Brynna**	Gilf G : **Gilfach Goch**	Maesteg : **Maesteg**	Pont R : **Pont Rhyd-y-cyff**

lun : **Pontyclun**
ner : **Pontycymer**
wth : **Pontygwaith**
rdd : **Pontypridd**
nt-y-r : **Pont-y-rhyl**
rth : **Porth**
ig : **Rhigos**
iwc : **Rhiwceiliog**
R'fln : **Rhydyfelin**
Rhym : **Rhymney**
Taff W : **Taff's Well**
T Grn : **Talbot Green**
Ton P : **Ton Pentre**
Tont : **Tonteg**
T'pandy : **Tonypandy**
T'fail : **Tonyrefail**
T'law : **Trealaw**
Tre'han : **Trefechan**
T'rest : **Treforest**
T'harris : **Treharris**
Treh : **Treherbert**
T'lewis : **Trelewis**
Treo : **Treorchy**
T'rhiw : **Troedyrhiw**
Tylor : **Tylorstown**
Up Ba : **Upper Baot**
Up Bo : **Upper Boat**
W'twn : **Williamstown**
Ynys : **Ynyshir**
Y'bwl : **Ynysybwl**
Ystrad : **Ystrad**

A

bey Ct. CF38: Chu V 4G 51
ERAMAN 4E 15
eraman Ent. Pk.
CF44: A'man 4G 15
eraman Pk. Ind. Est
CF44: A'man 5G 15
eraman Ter. CF44: A'man 5F 15
ERCANAID 5D 12
ercanaid Ind. Est.
CF48: M Tydfil 3C 12
ercerdin Rd. CF39: Evan 4B 42
ERCWMBOI 6G 15
ercwmboi-Isaf Rd.
CF45: M Ash 2B 24
CF47: M Tydfil 2F 5
ERCYNON 4F 33
ercynon North Station (Rail)
. . . . 5G 33
ercynon Rd.
CF37: A'non, Glyn 2G 41
CF45: A'non 2G 41
(Glyncoch)
CF45: A'non 1D 32
(Tyntetown)
CF45: M Ash 6F 25
ercynon South Station (Rail)
. . . . 5G 33
ercynon Sports Cen. 4G 33
ERDAR 1C 14
ERDARE 1C 14
erdare Bus. Pk.
CF44: A'dare 5D 10
ERDARE GENERAL HOSPITAL
. . . . 6F 11
erdare Rd. CF43: Fern 5H 23
CF44: C'bach 3G 15
CF45: A'non 5F 33
CF45: M Ash 1A 24
erdare Station (Rail) 1C 14
erdare Swimming Pool 1D 14
ERFAN 6A 18
erfan Cres. CF48: A'fan 6A 18
erfan Fawr CF48: A'fan 2A 26
erfan Rd. CF48: A'fan 6A 18
erffrwd Rd. CF45: M Ash 1D 24
erfields Vw. CF32: N moel 3H 69
ergorki Ind. Est. CF42: Treo 6G 21
ergwawr Pl. CF44: A'man 3D 14
ergwawr St. CF44: A'man 3E 15
ERGWYNFI 6G 65
er Ho's. CF32: Ogm V 3H 69
erllechau Rd. CF39: Ynys 1B 38
ERMORLAIS 6F 5
ermorlais Ter. CF47: M Tydfil 6F 5
ERNANT 6F 11
er-Nant Rd. CF44: A'dare 1D 14
ERPENNAR 3D 24
erpennar St. CF45: M Ash 3C 24
er-Rhondda Rd. CF39: Porth 5C 38
er Rd. CF32: Ogm V 5G 69
ertaf Farm Flats CF45: A'non 4G 33
ertonllwyd St. CF42: Treh 3D 20
cia Av. CF47: M Tydfil 3F 5
cia St. CF37: R'fln 2G 53
er Av. CF38: Llan F 2E 59
rn Gro. CF38: Chu V 5G 51
ms St. CF40: T'pandy 2B 36
re St. CF32: Ogm V 4G 69
CF39: Evan 3B 42
re Ter. CF40: T'pandy 4F 37
CF42: Treo 6G 21
lison Av. CF72: L'harry 6A 60
fryn CF72: L'harry 6B 60
-y-Bryn CF34: Caerau 3C 64
CF37: P'prdd 1G 45
ybryn CF37: P'prdd 1C 46
-y-Bryn CF38: Bed 6C 50
CF42: Treh 4E 21
CF44: C'dare 6B 10
CF46: T'lewis 4H 27
on Ter. CF47: M Tydfil 1D 12
n Forest Park . . . . 2A 64 & 1A 66
n Vw. SA13: B'gnfi 5F 65
n St. CF37: P'prdd 1H 45
ents Row CF44: A'dare 6G 11
w Rd. CF40: T'law 5H 37
any Rd. CF32: P'mer 4B 68
Albany St. CF43: Fern 1E 31
CF45: M Ash 4D 24
Alberta St. CF48: M Vale 6B 18
Albert Rd. CF37: P'prdd 3D 46
Albert St. CF34: Caerau 4E 65
CF41: Pentre 2F 29
CF43: Fern 6H 23
CF44: A'dare 2C 14
CF45: M Ash 4D 24
Albert Ter. CF34: Maesteg 4B 66
Albion Ct. CF37: C'fydd 6H 41
Albion Ind. Est. CF37: C'fydd 3H 41
Albion St. CF41: Ton P 5G 29
CF44: A'man 3D 14
Alder Dr. CF44: A'dare 1A 14
Alder Gro. CF38: Llan F 2E 59
CF47: M Tydfil 2F 5
Aldergrove Rd. CF39: Porth 5C 38
Alder Rd. CF72: L'harry 6B 60
Alder Ter. SA13: Croes 1F 65
Alexander Cl. CF48: A'naid 5D 12
Alexandra Av. CF47: M Tydfil 4G 5
Alexandra Cl. CF47: M Tydfil 4G 5
Alexandra Pl. CF34: Caerau 3E 65
CF45: A'non 4H 33
Alexandra Rd. CF32: P'mer 4A 68
CF37: T'rest 3F 47
CF41: Gelli 5G 29
CF47: M Tydfil 4G 5
Alexandra St. CF34: Caerau 3D 64
Alexandra Ter. CF38: Llan F 1E 59
CF44: A'dare 1D 14
CF44: C'man 5A 14
CF45: M Ash 2E 25
CF47: M Tydfil 1C 12
(off Twynyrodyn Rd.)
Alfred St. CF34: Maesteg 4C 66
CF39: Gilf G 6C 42
CF40: P'graig 1G 43
CF47: M Tydfil 3H 5
Alice Pl. CF44: C'man 6A 14
Allen St. CF45: M Ash 2D 24
Alltwen CF44: A'dare 6G 11
Alma Ho's. CF34: Maesteg 5D 66
Alma Pl. CF41: Pentre 2F 29
Alma Rd. CF34: Maesteg 5C 66
Alma St. CF42: Treh 3C 20
CF44: A'dare 6D 10
CF47: M Tydfil 1C 12
CF48: Dowl 2A 6
Alma Ter. CF34: Maesteg 5D 66
CF38: Chu V 5H 51
CF48: Dowl 2A 6
Almond Cl. CF38: Llan F 1E 59
Almond Gro. CF47: M Tydfil 3F 5
Alpha Pl. CF37: P'prdd 1F 47
Alpha St. CF37: P'prdd 1F 47
Alphonso St. CF48: Dowl 2B 6
Aman Ct. CF44: C'man 6A 14
Aman Pl. CF44: C'man 6A 14
Aman St. CF44: C'man 6A 14
Amberton Pl. *CF47: M Tydfil 3H 5*
(off Gwaunfarren Rd.)
Amelia Ter. CF40: L'nypia 2E 37
America Pl. CF39: Porth 5D 38
Amery Pl. CF41: Ystrad 4B 30
Amos Hill CF40: P'graig 6F 37
Anderson Ter. CF40: T'pandy 3E 37
Andrews Cl. CF48: H'rrig 6C 4
Aneurin Bevan Dr.
CF38: Chu V 5F 51
Aneurin Bevan's Way
CF34: Maesteg 5F 67
Aneurin Cres. CF47: M Tydfil 2D 12
Anglesey Cl. CF38: Tont 3A 52
Angus st. CF48: A'fan 6A 18
CF48: T'rhiw 3H 17
Ann's Cl. CF47: M Tydfil 1C 12
Ann St. CF37: C'fydd 4H 41
CF44: A'dare 6D 10
CF45: A'non 5F 33
Ansari Ct. CF72: L'sant 2F 57
Anthony Gro. CF48: A'naid 5C 12
(not continuous)
Anuerin Bevan Av.
CF82: G'gaer 1H 35
Appletree Av. CF40: T'law 5A 38
Appletree Rd. CF40: T'law 5A 38
Arbutus Cl. CF47: M Tydfil 2F 5
Arcade CF37: P'prdd 2E 47
Archer St. CF37: Y'bwl 6B 32
CF48: T'rhiw 1H 17
Ardmore Av. CF40: P'graig 5F 37
Ardwyn Pl. CF32: Ogm V 5G 69
Ardwyn Ter. CF40: T'pandy 3E 37
CF40: W'twn 3G 43
CF41: Gelli 5G 29
Arfonfab Cres. CF37: R'fln 1B 52
Arfryn CF44: Peny 3G 9
Arfryn Pl. CF47: M Tydfil 1C 12
Arfryn Ter. CF43: Tylor 3F 31
Argoed Av. CF72: L'haran 4G 55
Argoed Ter. CF48: M Vale 6A 18
Argyle St. CF39: Porth 1C 44
CF41: Pentre 2F 29
CF45: A'non 4H 33
CF47: M Tydfil 6H 5
Argyle Ter. CF40: L'nypia 1E 37
Armant Vs. CF32: N moel 2H 69
Arnold St. CF45: M Ash 2E 25
Arnott's Pl. CF44: A'dare 2B 14
Arran Cl. CF37: P'cae 5D 46
Arthurs Pl. CF44: L'coed 4C 10
Arthur St. CF40: P'graig, W'twn 1G 43
CF41: Ystrad 4A 30
CF45: M Ash 4D 24
CF48: P'bach 6F 13
SA13: B'gnfi 5F 65
Ashbourne Ct. CF44: A'dare 6B 10
Ash Cres. CF47: M Tydfil 3F 5
Ashdale Rd. CF40: W'twn 2G 43
Ashdown Ct. CF37: C'fydd 5H 41
Ashfield Cl. CF37: Glyn 4E 41
CF39: Porth 5B 38
Ashgrove CF37: Glyn 3F 41
Ash Gro. CF41: Pentre 2F 29
CF44: A'dare 6D 10
CF45: M Ash 5E 25
Ashgrove CF46: T'harris 1H 33
Ash Gro. CF48: Tre'han 1D 4
CF72: L'harry 6B 60
CF72: P'clun 1D 60
Ashgrove Ter. CF46: Nels 4E 35
Ashgrove Vs. CF46: B'nog 4E 19
Ashlea Dr. CF47: M Tydfil 6H 5
Ash Rd. CF48: T'rhiw 1H 17
Ash Sq. CF37: R'fln 2G 53
Ash St. CF39: Gilf G 6B 42
CF44: A'boi 6G 15
Ash Wlk. CF72: T Grn 5G 57
Aspen Way CF38: Llan F 2E 59
Atlee Ter. CF34: Caerau 3C 64
Aubery Rd. CF40: P'graig 5G 37
Aubrey Rd. CF39: Porth 1D 44
Auburn Ri. *CF44: Hirw 1D 8*
(off Penyard Rd.)
Augusta St. CF41: Ton P 4G 29
Augustus St. CF37: Y'bwl 6B 32
Austin St. CF45: M Ash 2D 24
Avenue De Clchy CF47: M Tydfil 6F 5
Avenue, The CF32: P'mer 3A 68
CF37: P'prdd 2F 47
CF39: T'fail 6B 44
CF43: P'gwth 1A 38
CF45: C'bach, M Ash 4B 16
CF46: T'harris 1H 33
CF47: M Tydfil 4G 5
Avondale Cl. CF45: A'non 2E 33
Avondale Ct. CF39: Porth 1E 45
Avondale Rd. CF41: Gelli 5G 29
Avondale St. CF45: A'non 1E 33
Avon St. CF43: Fern 6H 23
Avon Ter. CF39: Ynys 2D 38
Awelfryn CF37: P'cae 2C 50
CF44: Peny 3H 9
Awelfryn Ter. CF47: M Tydfil 3H 5
Ayron St. CF43: Fern 2D 30
Ayton Ter. CF40: T'pandy 3E 37
Azalea Pk. CF48: Dowl 3C 6

B

Baden Ter. CF47: M Tydfil 5H 5
Baglan St. CF41: Pentre 2F 29
CF42: Treh, Treo 4E 21
CF43: P'gwth 6F 31
Bagot St. CF45: M Ash 1D 32
Baile Glas Ct. *CF47: M Tydfil 1C 12*
(off Twynyrodyn Rd.)
Bailey St. CF39: Ynys 1C 38
CF41: Ton P 3F 29
CF45: M Ash 4D 24
Bakers Wharf CF37: P'prdd 1F 47
Balaclava Ct. CF40: P'graig 6F 37
Balaclava Rd. CF48: Dowl 2A 6
Balmoral Cl. CF37: P'cae 5D 46
Bangor St. CF34: Nantyff 1C 66
Bangor Ter. CF34: Nantyff 1C 66
Bankes St. CF44: A'dare 1C 14
Bank St. CF34: Maesteg 4D 66
CF40: P'graig 6G 37
Bank Ter. CF48: Cefn C 3C 4
Baptist Pl. CF44: Hirw 2E 9
Baptist Row CF43: Fern 5H 23
Baptist Sq. CF43: Fern 5H 23
Bargoed Ter. *CF46: T'harris 6F 27*
(off Cardiff Rd.)
Barnardo St. CF34: Nantyff 1C 66
Barrack Row CF48: Dowl 2B 6
Barrett St. CF42: Treo 3B 28
Barrington St. CF48: A'fan 6A 18
Barry Rd. CF37: P'prdd 2C 46
Basin, The CF45: A'non 4H 33
Bassett St. CF37: P'prdd 1F 47
CF45: A'non 4G 33
Battenberg St. CF45: A'non 2E 33
Batten Way CF37: C'fydd 6H 41
Baxter Ter. SA13: G'cwg 1B 64
Beacon Hgts.
CF48: M Tydfil 4A 4
Beacon Ri. CF48: Pant 6G 7
Beacons, The CF44: Hirw 2D 8
Beacons Vw. CF48: Dowl 2B 6
Beadon St. CF45: M Ash 3D 24
Beatrice St. SA13: B'gnfi 5G 65
Beaufort Ct. CF72: C Inn 5A 58
Beaumaris Cl. CF38: Tont 3H 51
Beckett St. CF45: M Ash 1D 24
BEDDAU 6B 50
Beddoe St. CF44: A'man 4E 15
Beddoe Ter. CF46: T'harris 2A 34
Bedford St. CF44: A'man 4E 15
BEDLINOG 4E 19
Bedlinog Ter. CF46: B'nog 3E 19
Bedw Cl. CF39: Porth 1D 44
Bedw Farm Est. CF39: Porth 1D 44
Bedw Rd. CF37: C'fydd 5H 41
CF46: B'nog 4E 19
Bedw St. CF34: Caerau 5C 64
CF39: Porth 1D 44
Beechcroft CF46: T'lewis 6G 27
Beeches Ind. Est., The
CF72: P'clun 6E 57
Beeches, The CF45: A'non 4G 33
Beechgrove CF46: T'harris 1H 33
Beech Gro. CF47: M Tydfil 2G 5
CF48: T'rhiw 3A 18
Beeching Way *CF38: Tont 3G 51*
(off Brecon Way)
Beechlea Cl. CF72: P'clun 3H 61
Beech Rd. CF32: Pont-y-r 6B 68
CF72: L'harry 6B 60
Beech St. CF39: Gilf G 6B 42
CF43: Fern 1D 30
Beech Tree Way CF46: Nels 4F 35
Beech Vs. CF37: P'prdd 2D 46
Beechwood Av. CF44: A'dare 1A 14
CF48: Tre'han 1D 4
Beechwood Dr. CF38: Llan F 1E 59
Beech Wood Dr. CF39: T'fail 6E 43
Beechwood Dr. CF48: H'rrig 6B 4
Beechwood St. CF37: R'fln 2H 53
Belgrave St. CF41: Ton P 5G 29
Belgrave Ter. CF37: P'prdd 6G 41
Belle Vw. CF40: P'graig 5G 37
Belle Vue CF44: A'dare 5D 10
Belle Vue St. CF40: T'pandy 2B 36
Belle Vue Ter. CF37: T'rest 4G 47
Bellevue Ter. CF45: M Ash 5F 25
CF48: M Vale 1B 26
(off Alberta St.)
Bell Pl. CF44: A'man 6F 15
Bells Hill CF48: M Vale 1B 26
Bell St. CF44: A'dare 5D 10
Belmont Cl. CF34: Maesteg 4D 66

Belmont Ter.—Bute Ter.

Belmont Ter. CF39: Porth 1D **44**
CF44: A'man 3E **15**
Belmont Woodview
CF35: B'nna 6B **54**
Belthania Cl. CF34: Maesteg 5D **66**
Belvoir Ct. CF72: C Inn 5A **58**
Berry Sq. CF48: Dowl 3A **6**
Bertha St. CF37: T'rest 6G **47**
Berw Rd. CF37: P'prdd 1E **47**
CF40: T'pandy 2D **36**
Berwyn Cen. CF32: N moel 2H **69**
Bethania Hill CF39: T'fail 2D **48**
(not continuous)
Bethania Pl. CF44: C'bach 3G **15**
Bethania Row CF32: Ogm V 6G **69**
Bethania St. CF34: Maesteg 5D **66**
Bethel Ho. CF44: Hirw 1D **8**
Bethel Pl. CF44: Hirw 1D **8**
Bethel St. CF37: P'prdd 3D **46**
Bethesda St. CF37: P'prdd 1G **45**
CF47: M Tydfil 5E **5**
(not continuous)
Bethlehem Vw. CF72: L'haran 4F **55**
Bethuel St. CF44: A'dare 2D **14**
BETTWS **5A 70**
Bettws Rd.
CF32: B'myn, L'nor 6B **70**
CF32: L'nor 3C **70**
Bevan Pl. CF47: M Tydfil 6F **5**
Billingham Cres.
CF47: M Tydfil 4G **5**
Birch Cres. CF38: Llan F 2E **59**
Birchfield Cl. CF38: Tont 4A **52**
Birchgrove CF37: T'rest 3E **47**
Birch Gro. CF38: Chu V 4H **51**
Birchgrove CF44: A'dare 1A **14**
CF46: T'harris 1G **33**
Birch Gro. CF47: M Tydfil 2F **5**
CF72: L'harry 6B **60**
Birchgrove St. CF39: Porth 5D **38**
Birchley CF37: T'rest 5F **47**
Birchway, The CF48: Tre'han 1C **4**
Birchwood Av. CF37: T'rest 6G **47**
Birch Wood Dr. CF39: T'fail 1A **48**
Birdsfield Cotts. *CF37: P'prdd 3D **46***
(off Grover St.)
Bishops Gro. CF47: M Tydfil 4G **5**
Bishop St. CF40: P'graig 6G **37**
Blackberry Pl. CF45: M Ash 5B **16**
BLACKBROOK **6E 27**
BLACKMILL **5H 71**
Blackmill Rd. CF32: Lew 2H **71**
CF35: B'mll 6G **71**
Black Rd.
CF37: Chu V, P'cae, T'rest 6D **46**
CF38: Chu V 1D **50**
Blackthorn Av. CF47: M Tydfil 2F **5**
BLAENCAERAU **3E 65**
Blaencaerau Est.
CF34: Caerau 3E **65**
Blaencaerau Rd. CF34: Caerau 3E **65**
BLAEN CLYDACH **2C 36**
BLAENCWM **3A 20**
Blaen Dowlais St. CF48: Dowl 3C **6**
BLAENGARW **1A 68**
Blaengarw Rd. CF32: B'grw 1A **68**
Blaengwawr Cl. CF44: A'man 3D **14**
BLAENGWYFI **5G 65**
Blaenlau St. CF40: P'graig 5F **37**
BLAENLLECHAU **5H 23**
Blaenllechau Rd.
CF43: Fern 6H **23** & 1E **31**
Blaennantygroes Rd.
CF44: C'bach 3G **15**
Blaenogwr Ct. CF32: N moel 2H **69**
Blaenogwr Ter. CF32: N moel 1H **69**
BLAENRHONDDA **1B 20**
Blaenrhondda Rd.
CF42: B'ndda 2B **20**
Blaen Wern CF44: C'dare 6A **10**
Blaen-y-Cwm Rd.
CF42: B'cwm, Treh 3A **20**
Blaen-y-Cwm Ter. CF42: Treh 2C **20**
Blake St. CF43: Maer 4D **22**
Blanche St. CF37: P'prdd 1E **47**
CF48: Dowl 3C **6**
Blanch St.
CF40: P'graig, W'twn 1G **43**
Blandy Ter. CF32: N moel 1H **69**
CF32: Ogm V 6G **69**
CF32: P'mer 4B **68**
CF39: Gilf G 2C **42**
Blosse St. CF34: Nantyff 1C **66**
Blosse Ter. CF39: Porth 1D **44**
Bodringallt Ter. CF41: Ystrad 4A **30**
Bodwenarth Rd. CF37: C'fydd 5H **41**
Bogey Rd. CF48: P'bach 6A **6**
Boi Cl. CF45: M Ash 2B **24**
Bolgoed Pl. *CF47: M Tydfil 5G **5***
(off Pontmorlais W.)
Bond St. CF44: A'dare 2C **14**
Bontnewydd Ter.
CF46: T'lewis 6G **27**
Bonvilston Rd. CF37: P'prdd 1F **47**
Bonvilston Ter. CF37: P'prdd 1F **47**
Boot La. *CF44: A'dare 1C **14***
(off Commercial St.)
Bowlplex Cardiff 4F **53**
Bracken Ri. CF44: C'bach 2F **15**
Bradley Cl. CF47: M Tydfil 5H **5**
Bradley Gdns. CF47: M Tydfil 5H **5**
Bradley St. CF45: A'non 5F **33**
Braich y Cymmer Rd.
CF32: P'mer 4A **68**
Bramble Cl. CF47: M Tydfil 3E **5**
Bransby Rd. CF40: P'graig 5G **37**
Brecon CF48: Pant 5E **7**
Brecon Beacons National Park
2A **4** & 1F **9**
Brecon Cl. CF44: Hirw 1D **8**
Brecon Mountain Railway 5E **7**
Brecon Pl. CF44: A'man 4F **15**
Brecon Rd. CF44: Hirw 1D **8**
CF47: M Tydfil 3D **4**
Brecon St. CF44: A'man 4F **15**
Brecon Way CF38: Tont 3G **51**
Brewery La. CF48: Cefn C 3C **4**
Brewery Ter. CF43: P'gwth 6G **31**
Briarmead CF47: M Tydfil 4G **5**
Briar Rd. CF44: C'bach 4H **15**
Briar Way CF38: Tont 4A **52**
CF44: Hirw 1C **8**
Brickfield Ter. CF47: M Tydfil 1C **12**
Brick Row CF34: Maesteg 6E **67**
Brick St. SA13: G'cwg 1B **64**
Bridgend Rd. CF32: P'mer 4A **68**
CF34: Maesteg 4D **66**
CF34: Pont R 3F **67**
CF72: B'cae, L'haran 5E **55**
Bridge Rd. CF37: Up Bo 3D **52**
CF44: C'bach 3G **15**
Bridge St. CF32: B'grw 1A **68**
CF34: Maesteg 4D **66**
CF37: P'prdd 2E **47**
(Trallwng)
CF37: P'prdd, Porth 6G **39**
(Trehafod)
CF37: T'rest 4G **47**
CF40: T'pandy 4F **37**
CF44: A'dare 6E **11**
CF48: A'fan 6A **18**
CF48: T'rhiw 2H **17**
SA13: G'cwg 1B **64**
Britannia Pl. *CF43: Fern 1E **31***
(off Cross St.)
Britannia St. CF39: Porth 1E **45**
Brithweunydd rd. CF40: T'law 4F **37**
Broadfield Cl. CF40: P'graig 5G **37**
Broad St. CF47: M Tydfil 1B **12**
CF48: Dowl 2A **6**
Broadway CF37: P'prdd, T'rest 3E **47**
Broadwel CF34: Maesteg 4D **66**
Brocks Ter. CF39: Porth 2A **44**
Brodawel CF44: Peny 3H **9**
CF47: M Tydfil 2C **12**
Brodeg CF44: C'bach 4H **15**
Brohedydd CF43: Maer 3C **22**
Bronallt Ter. CF44: A'boi 1A **24**
Broncynon Ter. CF44: C'dare 5B **10**
Brondeg CF48: H'rrig 6D **4**
Bron Deg CF46: T'lewis 4H **27**
Brondeg St. CF43: Tylor 5F **31**
Brondeg Ter. CF44: A'dare 2B **14**
Bronhaul CF44: C'bach 4H **15**
CF72: T Grn 5G **57**
Bronheulog Ter. CF48: T'rhiw 3H **17**
Bronheulwen CF39: Porth 5B **38**
Broniestyn Ter. CF44: A'dare 6D **10**
CF44: Hirw 1D **8**
Bronllwyn Rd. CF41: Gelli 5G **29**
Bronllys CF44: Peny 3H **9**
Bronwydd Swimming Pool 6C **38**
Brony Cl. CF47: M Tydfil 1D **12**
Bron-y-Deri CF45: M Ash 2E **25**
Bron-y-Waun CF34: Maesteg 5F **67**
Brookbank Cl. CF44: C'bach 2F **15**
Brookdale Ct. CF38: Chu V 5H **51**
Brookfield CF37: Y'bwl 3C **40**
Brookfield La. CF37: P'prdd 6G **41**
Brookfield Rd.
CF34: Maesteg 5F **67**
CF43: Maer 5E **23**
Brooklands CF46: Nels 2D **34**
Brooklands Cl.
CF47: M Tydfil 4F **5**
Brooklands Cotts. CF46: Nels 2D **34**
Brookland Ter. CF32: N moel 2H **69**
Brook Pl. CF41: Pentre 2G **29**
Brookside CF38: Tont 4A **52**
Brookside Cl. CF37: C'fydd 5H **41**
Brook St. CF37: T'rest 5G **47**
CF39: Porth 1C **44**
(Cymmer)
CF39: Porth 6E **39**
(Llwyncelyn)
CF40: P'graig 6G **37**
CF41: Ystrad 5B **30**
CF42: B'ndda 1B **20**
CF42: Treo 1E **29**
CF43: Fern 1D **30**
CF43: Maer 4D **22**
CF44: A'man 3D **14**
CF45: M Ash 3D **24**
Brook Ter. CF38: Chu V 4H **51**
CF72: L'haran 4F **55**
Brookway CF38: Tont 4A **52**
Broomfield Cl. CF38: Tont 4A **52**
Brotalwg CF46: T'harris 6F **27**
Brow-Dawel Cl. CF72: P'clun 3E **61**
Brown St. CF34: Nantyff 2B **66**
CF43: Fern 1E **31**
Bro-y-Ffrwd CF48: M Tydfil 4B **4**
Bruce St. CF45: M Ash 2D **24**
Brummel Dr. CF15: Cre 3H **63**
Brunswick St. CF47: M Tydfil 5F **5**
BRYN **5A 8**
Brynamlwg *CF40: T'pandy 3E **37***
(off Park Pl.)
CF72: P'clun 1G **61**
Bryn Aur CF37: Glyn 3F **41**
Bryn Awel CF32: L'nor 3A **70**
CF37: Glyn 3F **41**
Brynawel CF44: A'dare 2B **14**
Brynawelon CF44: C'bach 4H **15**
Bryn Bedw CF39: Porth 2C **44**
Brynbedw Rd. CF43: Tylor 4F **31**
Brynbedw St. CF32: B'grw 1A **68**
BRYNCAE **5E 55**
Bryncae Ind. Est.
CF72: B'cae 5F **55**
Bryn Carwyn CF48: Dowl 3B **6**
Bryn Celyn CF34: Maesteg 6C **66**
Bryncelyn CF46: Nels 4D **34**
Bryn Coed CF44: Peny 3G **9**
SA13: Croes 2G **65**
Bryn Creigiau CF72: Groes F 2E **63**
Bryn Crydd CF39: Porth 2B **44**
Bryncynon CF44: Hirw 1E **9**
Bryn Derw CF38: Bed 6C **50**
Brynderwen CF37: C'fydd 4H **41**
CF44: C'dare 6A **10**
Brynderwen Ct. *CF43: Fern 6H **23***
(off Church St.)
Brynderwen Rd. CF37: C'fydd 4H **41**
CF40: P'graig 5E **37**
Bryn Eglwys CF40: W'twn 2G **43**
CF72: L'haran 4G **55**
Bryn Eirw CF37: P'prdd 6G **39**
Bryn Eithin CF44: C'dare 6B **10**
Brynfab Rd. CF37: R'fln 1B **52**
Brynfedwen Cl. CF42: Treh 4E **21**
Bryn Ffynon CF39: Porth 1B **44**
Brynffynon Cl. CF44: A'dare 2C **14**
Bryngelli Est. CF44: Hirw 2C **8**
Bryngerwn Av. CF46: T'harris 2B **34**
Bryn Glas CF44: C'bach 3G **15**
Brynglas St. CF47: M Tydfil 4H **5**
Brynglas Ter. CF34: Caerau 3E **65**
Bryngolau CF39: T'fail 6F **43**
(not continuous)
BRYNGOLEU **2A 26**
Bryngoleu Cres. CF43: Fern 6H **23**
Bryn Golwg CF44: C'bach 3H **15**
Bryn Gwyn Cl. CF44: Peny 3G **9**
Bryngwyn St. CF39: Porth 5C **38**
Bryn-Hedd CF39: Hend 6D **42**
Bryn Henllan CF42: B'ndda 1B **20**
CF72: B'nna 4C **54**
BRYNHEULOG **3C 64**
Bryn Heulog CF42: Treh 4E **21**
Brynheulog CF45: M Ash 5E **25**
Brynheulog Rd. SA13: Croes 2E **65**
Brynheulog St. CF47: M Tydfil 4H **5**
Brynheulog Ter. CF39: Porth 5D **38**
CF40: T'pandy 2C **36**
CF43: Tylor 2E **31**
CF44: A'man 5E **15**
Brynhfryd CF32: P'mer 4B **68**
Bryn Hir CF44: C'bach 3H **15**
Brynhyfryd CF32: L'nor 4A **70**
CF38: Bed 6C **50**
CF39: Hend 6D **42**
CF40: T'pandy 3E **37**
Brynhyfryd CF43: Tylor 4F **31**
Brynhyfryd CF44: C'man 1H **23**
Brynhyfryd Av. CF40: P'graig 5G **37**
Brynhyfryd Pl. CF37: T'rest 4F **47**
Brynhyfryd St. CF40: T'pandy 2B **36**
CF42: Treo 5F **21**
CF47: M Tydfil 3H **5**
Brynhyfryd Ter. CF37: P'prdd 2D
CF43: Fern 1D
CF48: Cefn C 3C
Brynhyfryd Vs. *CF48: T'rhiw 2A*
(off Cardiff R
BRYNIAU **1H**
Bryniau Rd.
CF48: M Tydfil, Pant 2H
Bryn Ifor CF45: M Ash 3D
Bryn Ilan CF37: R'fln 3H
Bryn Ivor St. CF40: L'nypia 1F
Brynllwarch CF34: Maesteg 6B
Bryn Mair CF48: Dowl 3B
Brynmair Cl. CF44: A'man 6D
Brynmair Rd. CF44: A'man 5B
Brynmair Ter. *CF47: M Tydfil 3H*
(off Merthyr R
Brynmawr CF32: L'nor 4A
Brynmawr Pl. CF34: Maesteg 4B
Bryn Moreia CF44: L'coed 3C
Brynmorlais St.
CF47: M Tydfil 3H
BRYNNA **4D**
Brynna Rd. CF35: B'nna 6A
CF72: B'nna 6A
(William S
CF72: B'nna, L'harry 4D
(Southall S
BRYNNAU GWYNION **5B**
Brynogwy Ter. CF32: N moel 2H
Bryn Olwg CF37: P'prdd 1G
Brynonen Ter. *CF47: M Tydfil 3H*
(off Urban S
Bryn Rhedyn CF37: Glyn 3F
CF38: Tont 3H
CF39: T'fail 5H
CF42: Treh 4E
Bryn Rhodfa CF42: Treo 6H
Bryn Rhos CF44: Peny 3G
Bryn Rd. CF32: Ogm V 6G
SA13: G'cwg 1B
BRYNSADLER **3D**
Brynseion CF48: T'rhiw 2A
Bryn-Seton St. CF48: Dowl 3A
Bryn Siriol CF32: L'nor 6A
Brynsiriol CF44: Hirw 1D
Bryn Siriol SA13: Croes 2F
Bryn St. CF47: M Tydfil 1D
Bryntaf CF48: A'fan 1A
Bryntaf CF48: Cefn C 3C
BRYNTEG **2B**
Brynteg CF34: Maesteg 5B
CF46: T'harris 6F
Brynteg Ct. CF38: Bed 2C
Brynteg La. CF38: Bed 2B
CF72: Bed 2B
Brynteg Ter. CF40: T'law 5H
CF43: Fern 2E
CF47: M Tydfil 6G
CF48: M Vale 1B
Bryn Ter. CF34: Caerau 3D
CF34: Pont R 3H
CF38: Llan F 6F
CF39: Porth 6D
CF39: Ynys 1B
CF40: P'graig 5G
CF40: T'pandy 2C
CF41: Ystrad 4A
CF43: Tylor 6F
CF44: C'dare 6A
CF47: M Tydfil 6A
(off Penheolferth
Bryn, The CF44: Rhig 6A
Bryntirion Rd.
CF47: M Tydfil 6G
Bryntirion St. CF48: Dowl 2A
Brynwern St. CF48: Dowl 2B
Bryn Wyndham Ter.
CF42: Treh 2C
Brytwn Rd. SA13: G'mmer 1C
BUARTH CAPEL **5A**
Buarth-Y-Capel CF37: Y'bwl 5A
Buckland Dr. CF41: Ystrad 5C
Buckley Cl. CF40: T'law 2F
Buckley Rd. CF40: T'law 2F
Bull Ring CF72: L'sant 3H
Burgesse Cres.
CF72: L'sant 5H
Burns St. CF44: C'man 5A
Burn's Way CF37: P'cae 6D
Bush Rd. CF45: M Ash 4E
Business Cen.
CF45: M Ash 4F
Bute Pl. CF44: Hirw 1C
Bute St. CF42: Treh 4D
CF42: Treo 6G
CF44: A'dare 1C
Bute Ter. *CF44: A'dare 2D*
(off Bute S
CF44: Hirw 1C

...ch-y-Clawdd Rd.
CF32: N moel 2H 69
(Brookland Ter.)
CF32: N moel 1G 69
(Valeview Ter.)
CF42: Treo 4A 28
(not continuous)
...lfa Cotts. CF41: Gelli 5G 29
...lfa Rd. CF44: C'dare 6G 9
...' Rd. CF46: Nels 3D 34
...nchan Pl. CF47: M Tydfil 5F 5
...on Av. CF38: Bed 2C 58
...on Ri. CF37: R'fln 1H 53
...on St. CF44: C'man 5A 14

C

...lan Bethel CF48: M Tydfil 6E 5
(off Tramroad Side)
...ogan Cl. CF41: Ystrad 4B 30
...ogan St. CF32: N moel 2H 69
...waladr St. CF45: M Ash 2C 24
...gan Rd. CF42: Treo 1E 29
...wgan Ter. CF37: P'prdd 1G 45
... Bach CF32: L'nor 5D 70
...Bryn Hyfryd CF44: Hirw 1C 8
...Cadno CF38: Chu V 4F 51
...-DRAW 1B 12
...draw Rd. CF47: M Tydfil 1B 12
...-Draw Rdbt. 1C 12
...du Rd. CF32: Ogm V 6G 69
...Fardre CF38: Chu V, Tont 3H 51
...Felin Parc CF44: Hirw 2E 9
...Ffynnon CF38: Chu V 3G 51
... Glas CF40: W'twn 2G 43
...Llwyndy CF46: Nels 4E 35
...Mari Dwn. CF47: M Tydfil 6G 5
...mawr Gdns. CF39: Porth 6C 38
...mawr Ind. Est. CF42: Treo 2E 29
...mawr Rd. CF39: Porth 6C 38
...mawr Ter. CF40: W'twn 2G 43
...nant CF37: R'fln 5H 47
...-PANT-TYWLL 5F 5
...racca CF48: Pant 1B 6
...racca Vs. CF48: Pant 1B 6
...RAU 4D 64
...rau Ct. CF72: C Inn 4B 58
...rau St. CF44: Caerau 4D 64
...r Gerddi CF38: Chu V 4G 51
...rgwerlas CF39: T'fail 6G 43
... Gymrig CF34: Maesteg 6F 67
...rhendy St. CF47: M Tydfil 3H 5
...leon Gro. CF48: M Tydfil 5A 4
...narvon Gro.
CF48: M Tydfil 4A 4
...philly Rd. CF15: N'grw 6F 53
(not continuous)
CF46: Nels 4F 35
CF46: T'harris 2A 34
...r Wen CF48: M Tydfil 1A 12
...Siriol CF39: Ynys 3C 38
...ch Ter. CF46: T'lewis 1D 34
... St. CF40: T'law 4H 37
...erton Rd. CF38: Bed 1C 58
...icott Cl. CF38: Bed 2C 58
...well Cl. CF38: Bed 2C 58
...una Pl. CF48: Dowl 3C 6
...brian Av.
CF39: Gilf G, Hend 5B 42
...brian Ind. Est. (East Side)
CF72: P'clun 1E 61
...brian Ind. Est. (West Side)
CF72: P'clun 1E 61
...brian Ind. Pk.
CF40: T'pandy 3C 36
...brian Pl. CF37: T'rest 4G 47
...brian St. CF47: M Tydfil 5F 5
...brian Ter. CF40: L'nypia 2E 37
...CF47: M Tydfil 4G 5
(off Gwaelodygarth)
...ellia Cl. CF44: A'dare 6B 10
...pbell Ter. CF40: L'nypia 2E 37
CF45: M Ash 1D 24
...perly Cl. CF38: Bed 2C 58
...pton Pl. CF38: Bed 2D 58
... Cotts. CF37: P'prdd 1F 47
...l Lock Cl. CF48: A'fan 2A 26
...l Rd. CF44: C'bach 2F 15
...l Row CF48: A'naid 5D 12
...l Side CF48: A'naid 5D 12
...ing St. CF41: Ton P 4F 29
...bie Cres. CF48: A'fan 2A 26
...on St. CF44: A'dare 1C 14
...l Farm CF39: T'fail 6B 44
...l Ifan CF39: T'fail 6B 44
...ains Hill CF46: T'lewis 6G 27
...doc Rd. CF45: M Ash 3D 24

Caradoc St. CF45: M Ash 3D 24
CF47: M Tydfil 5F 5
Caradog Rd. CF43: Tylor 4F 31
Caramel St. CF42: Treh 5E 21
Cardiff Pl. CF42: Treo 1D 28
Cardiff Rd. CF15: Cre 2G 63
CF15: N'grw, Taff W 5F 53
CF37: R'fln, Up Bo 4G 47
CF44: A'man, A'dare 2D 14
CF45: A'non 6F 33
CF45: M Ash 2D 24
CF46: T'harris 1H 33
....2A 18
CF72: L'sant 4H 57
CF72: P'clun 1A 62
Cardiff St. CF32: Ogm V 5G 69
CF42: Treo 1D 28
CF44: A'dare 1C 14
CF48: A'naid 5D 12
Cardigan Cl. CF38: Tont 4H 51
Cardigan Ter. CF32: N moel 1H 69
Carew Gro. CF48: M Tydfil 5A 4
Cargill Cl. CF38: Bed 2D 58
Carlton Cres. CF38: Bed 2C 58
Carlton Ter. CF48: T'rhiw 2H 17
Carmarthen Dr. CF38: Tont 3H 51
Carmen St. CF34: Caerau 4D 64
Carn Celyn CF38: Bed 2C 58
Carne St. CF41: Pentre 2F 29
CARNETOWN 6F 33
Carn-y-Celyn Cl.
CF40: P'graig 6F 37
Caroline Ct. CF40: L'nypia 1G 43
CF42: B'ndda 1B 20
SA13: B'gnfi 5G 65
Caroline Ter. SA13: B'gnfi 5G 65
Carreg Arwyn CF72: L'harry 6A 60
Carshalton Rd. CF38: Bed 2C 58
Cascade Vw. CF44: C'dare 6A 10
Castan Rd. CF72: P'clun 2F 61
Castellau Rd. CF38: Bed 5A 50
Castell-y-Mynach Rd.
CF38: Bed 6B 50
Castle Cinema 6F 5
Castle Cl. CF15: Cre 1G 63
Castle Cl. CF38: Chu V 4H 51
Castleford Cl. CF38: Bed 1C 58
Castle Ivor St. CF37: P'prdd 2C 46
Castle Row CF48: Pant 1C 6
Castle Sq. CF47: M Tydfil 5E 5
CF37: T'rest 4G 47
CF42: Treo 2C 28
CF47: M Tydfil 6F 5
CF48: P'bach 5E 13
CF72: L'sant 4H 57
SA13: G'cwg 1A 64
Castle Ter. CF48: T'rhiw 1H 17
Castleton Av. CF42: Treh 2B 20
Castle Vw. CF48: H'rrig 6D 4
Castle Yd. CF47: M Tydfil 6F 5
Caswell Cl. CF44: Hirw 2D 8
Catherine Cl. CF48: A'naid 5D 12
Catherine's Ct. CF47: M Tydfil ..1C 12
(off Tramroad Side Sth.)
Catherine St. CF37: P'prdd 2E 47
CF41: Pentre 2G 29
CF44: A'dare 2C 14
Catherine Ter. CF39: Porth 1C 44
Cavan Row CF34: Maesteg 3C 66
Cavell St. SA13: G'cwg 2B 64
Cavendish Pl. CF38: Bed 1C 58
Cedar Cl. CF44: A'dare 1A 14
Cedar Cres. CF38: Tont 4A 52
Cedar La. CF37: R'fln 4H 47
Cedar Way CF47: M Tydfil 3F 5
Cedar Wood Dr. CF39: T'fail 6E 43
Cefn Bryn CF39: Porth 2B 44
Cefn Cl. CF37: Glyn 3E 41
Cefn-Coed-y-Cymmer 2B 4
Cefndon Ter. CF44: T'coed 1E 9
Cefn La. CF37: Glyn 4D 40
CEFNPENNAR 5B 16
Cefnpennar Rd.
CF44: C'bach 3H 15
CF45: C'bach 2B 16
CF38: Ynys 1B 38
CEFNYRHENDY 1G 61
Ceiriog Cres. CF37: R'fln 5H 47
Celandine Rd. CF37: T'fail 6F 67
Celtic Rd. CF34: Maesteg 6F 67
Celyn Isaf CF37: T'fail 3E 49
Cemetery Rd. CF32: Ogm V 1H 71
CF34: Maesteg 5E 67
CF37: R'fln, T'law 5B 38
CF42: Treo 6H 21
CF44: A'dare, Peny 4A 10
CF45: A'non 3E 33
Cenarth Dr. CF44: C'bach 1G 15

Centenary Ct. CF38: Bed 1D 58
Central Sq. CF37: P'prdd 1F 47
(off Ralph St.)
Centre Ct. CF37: Up Bo 5E 53
Cerdin Av. CF72: P'clun 2F 61
Cerdinen Ter. CF44: C'bach 3G 15
Ceredig St. CF48: P'bach 5E 13
Ceridwen St. CF43: Maer 4C 22
CF45: M Ash 3D 24
Ceridwen Ter. CF72: L'sant 4H 57
(off Heol-y-Beila)
Chalfont Cl. CF38: Bed 1D 58
Challis Row CF44: Hirw 1C 8
Chalvington Cl. CF38: Bed 1C 58
Chancery La. CF45: M Ash 2D 24
Chandlers Reach
CF38: Llan F 2E 59
Chandlery, The CF40: L'nypia 1F 37
Channel Av. CF39: Porth 3C 44
Chapel Banks CF48: M Tydfil 5E 5
Chapel Cl. CF48: P'bach 5E 13
Chapel Hill CF72: L'haran 4F 55
Chapel Rd. CF35: Rhiwc 1A 54
CF48: L'haran 4F 55
Chapel Row CF35: Rhiwc 2A 54
CF44: A'dare 1C 14
CF44: C'bach 3G 15
(off Cwrt Glan Wern)
CF48: M Tydfil 5E 5
Chapel Sq. CF48: A'naid 4C 12
Chapel St. CF32: N moel 1H 69
CF37: P'mer 4A 68
CF37: P'prdd 2E 47
CF37: R'fln 6H 47
CF40: P'graig 6G 37
CF40: T'pandy 3E 37
CF41: Ton P 4G 29
CF41: Ystrad 4B 30
CF42: B'cwm 3A 20
CF42: B'ndda 1B 20
CF42: Treo 1D 28
CF44: A'man 4E 15
CF46: B'nog 4E 19
CF48: A'naid 5D 12
CF48: T'rhiw 2A 18
SA13: Aberg 6G 65
Chapel Ter. CF39: Ynys 1B 38
Chartist Rd. CF72: L'sant 4G 57
Chase Vw. CF47: M Tydfil 4G 5
Chepstow Cl. CF48: M Tydfil 5A 4
Chepstow Rd. CF42: Treo 2C 28
Cheriton Gro. CF38: Tont 4B 52
Cherry Dr.
CF44: A'dare, C'dare 6B 10
Cherry Gro. CF47: M Tydfil 3F 5
Cherry Tree Cl. CF48: Tre'han ...1D 4
Cherry Tree Wlk. CF72: T Grn 6E 55
Cherry Tree Way
CF48: T'lewis 5G 27
Chester Cl. CF48: H'rrig 6B 4
Chestnut Cl. CF44: A'dare 1A 14
Chestnut Gro. CF34: Maesteg 4E 67
Chestnuts, The CF72: P'clun 3H 61
Chestnut Way CF47: M Tydfil 3F 5
Chevron St. CF39: Porth 5C 38
Chez Nid CF45: M Ash 2E 25
Christopher Rd.
CF34: Maesteg 4E 67
Christopher Ter.
CF47: M Tydfil 2C 12
Church Av. CF44: L'coed 3C 10
Church Cl. CF38: Llan F 1F 59
Churchfield Row CF41: Pentre 3G 29
Church La. CF15: N'grw 6G 53
CF46: Nels 3E 35
Church Pl. CF32: B'grw 1A 68
CF34: Maesteg 4C 66
Church Rd. CF37: P'prdd 1F 47
CF38: Tont 3G 51
CF40: W'twn 2G 43
CF41: Ton P 4G 29
CF82: G'gaer 1H 35
Church Row CF44: A'dare 5C 10
CF48: Dowl 3B 6
Church St. CF32: B'grw 1A 68
CF32: P'mer 4B 68
CF34: Caerau 3C 64
CF34: Maesteg 4C 66
CF37: P'prdd 2E 47

Church St. CF37: Y'bwl 5B 32
CF40: L'nypia 1F 37
CF41: Ton P 4G 29
CF42: Treh 4E 21
CF42: Treo 2B 28
CF43: Fern 6H 23
CF43: Maer 4C 22
CF45: M Ash 5F 25
CF47: M Tydfil 5F 5
(Grawen Ter.)
CF47: M Tydfil 4H 5
(Lloyds Ter.)
CF47: M Tydfil 6G 5
(Tramroad Side Nth.)
CF48: Dowl 3B 6
CF48: T'rhiw 2H 17
CF72: B'nna 4D 54
CF72: L'sant 4H 57
SA13: Croes 2F 65
Church Ter. CF32: B'grw 1A 68
CF32: N moel 1G 69
CF39: Ynys 3D 38
CF40: W'twn 1G 43
CF43: Tylor 4F 31
Church Ter. CF48: P'bach 4D 12
CF72: L'haran 4G 55
Church Vw. CF37: P'prdd 3C 46
CF43: Tylor 5F 31
CF48: A'naid 5D 12
CF72: B'nna 4D 54
CHURCH VILLAGE 5G 51
Church Wlk. CF39: Porth 6E 39
CILFYNYDD 4H 41
Cilfynydd Rd. CF37: C'fydd 5H 41
Cilhaul Ct. CF48: T'harris 5F 27
Cilhaul Ter. CF45: M Ash 4D 24
Cil Hendy CF72: P'clun 2G 61
Cilsanws La. CF48: Cefn C 2B 4
Cil-Sanws La. CF48: Cefn C 2C 4
City Rd. CF32: L'nor 6A 70
Claerwen CF82: G'gaer 1H 35
Claerwen Cl. CF44: C'bach 1G 15
Clanlay St. CF45: M Ash 5F 25
Clara St. CF41: Ton P 4F 29
Claremont Dr. CF46: T'harris 2C 34
Clarence Ct. CF34: Maesteg 4C 66
Clarence St. CF41: Ton P 4G 29
CF45: M Ash 4D 24
Clarence Ter. CF44: A'man 5F 15
Clare Rd. CF42: Treo 2C 28
Clare St. CF47: M Tydfil 2C 12
Clark St. CF42: Treo 1D 28
Clas Ael-y-Bryn CF37: Y'bwl 4A 32
Clas Gwernifor CF45: M Ash 3E 25
Clas-Ty-Gelli CF37: Glyn 3F 41
Clas-y-Dderwen CF45: M Ash 2E 25
Claverton Cl. CF38: Bed 1D 58
Clayton Cres. CF37: Glyn 4E 41
Cledwyn Gdns. CF44: A'dare 5B 10
Cledwyn Ter. CF44: A'dare 5C 10
Cliff St. CF45: M Ash 3D 24
Cliff Ter. CF37: T'rest 3F 47
Clifton Ct. CF44: A'dare 1B 14
Clifton Cres. CF44: A'man 4F 15
Clifton Row CF39: Porth 1E 45
Clifton St. CF42: Treo 2D 28
CF44: A'dare 2B 14
Clive Pl. CF44: A'dare 5C 10
Clive St. CF44: A'dare 5C 10
Clive Ter. CF37: Y'bwl 6B 32
Clos Alun CF72: B'nna 4C 54
Clos Aneurin CF37: R'fln 1B 52
Clos Brenin CF72: P'clun 2E 61
Clos Bron Iestyn CF37: P'prdd ...2C 46
Clos Bychan CF44: C'dare 6A 10
Clos Cadw Gan CF38: Bed 2B 58
Clos Cae Pwll CF46: Nels 3D 34
Clos Camlas CF37: P'prdd 1F 47
Clos Caradog CF38: Llan F 5F 51
Clos Cefn Glas CF38: Llan F 2E 59
Clos Coll Wyn CF38: Llan F 2D 58
Clos Creyr Goed
CF38: Chu V, Llan F 4F 51
Clos Darren Las CF15: Cre 2G 63
Close, The CF44: A'dare 2C 14
Clos Gwent CF38: Bed 2B 58
Clos Gwynedd CF38: Bed 2B 58
Clos Hereford CF72: L'sant 5H 57
Clos Lancaster CF72: L'sant 5H 57
Clos Leland CF72: L'sant 5H 57
Clos Llangefni CF38: Bed 1B 58
Clos Llewellyn CF15: Cre 3G 63
Clos Myddlyn CF38: Bed 2B 58
Clos Myn Ydd CF32: L'nor 4B 70
Clos Powys CF38: Bed 1B 58
Clos Waun Ceffyl CF46: Nels 3D 34
Clos William Price
CF37: R'fln 3H 41
Clos-y-Carw CF38: Llan F 1D 58

Clos y Coed—Davies St.

Clos y Coed CF38: Chu V 5G **51**
Clos y Dolydd CF38: Bed 2C **58**
Cloth Hall La. CF48: Cefn C 2C **4**
Clover Rd. CF47: M Tydfil 2D **4**
Club Row CF41: Ystrad 4B **30**
Club St. CF44: A'man 3D **14**
Clun Av. CF72: P'clun 1F **61**
Clun Cres. CF72: P'clun 1F **61**
Clwyd Av. CF44: C'bach 1G **15**
CLWYDFAGWYR 5A **4**
Clydach Cl. CF37: Glyn 4F **41**
Clydach Rd. CF37: Y'bwl 5A **32**
CF40: T'pandy 2C **36**
Clydach Ter. CF37: Y'bwl 5B **32**
CLYDACH VALE 2B **36**
Clyngwyn Rd. CF42: B'ndda 2B **20**
Clyngwyn Ter. CF42: B'ndda 2B **20**
Cobden Pl. *CF47: M Tydfil 1C 12*
(off Alma St.)
Cobden St. CF44: A'man 5E **15**
Coed Bychan Cres.
CF72: L'haran 4F **55**
Coedcae CF48: Dowl 2C **6**
Coedcae La. CF72: P'clun 1D **60**
Coedcae La. Ind. Est.
CF72: P'clun 6D **56**
Coedcae'r Cwrt CF47: M Tydfil 1C **12**
Coedcae Rd. CF37: P'prdd 6F **39**
CF39: Porth 1E **45**
CF48: Dowl 2D **6**
Coed Isaf Rd. CF37: P'prdd 3C **46**
Coedmeyrick Cl.
CF48: M Tydfil 4A **4**
Coed Mieri CF72: P'clun 1E **61**
COED-PEN-MAEN 1E **47**
Coedpenmaen Cl.
CF37: P'prdd 2F **47**
Coedpenmaen Rd.
CF37: P'prdd 1F **47**
Coed y Brenin CF37: P'prdd 3C **46**
Coed-y-Lan Rd. CF37: Glyn 4F **41**
Coed yr Esgob CF72: L'sant 3G **57**
Coegnant Rd.
CF34: Caerau, Nantyff 5C **64**
CF34: Nantyff 1C **66**
Colbourne Rd. CF38: Bed 1C **58**
Coldra Rd. CF42: Treh 1B **20**
Coliseum Theatre 6D **10**
College St. CF44: A'dare 1D **14**
Collenna Rd. CF39: T'fail 6A **44**
Colliers Way CF40: L'nypia 2E **37**
Colliery St. CF37: P'prdd 1H **45**
Collins Ter. CF37: T'rest 5G **47**
Collins Way CF42: Treo 2D **28**
Collwyn St. CF39: T'fail 5F **49**
Column St. CF42: Treo 1D **28**
Colwyn Rd. CF41: Gelli 5G **29**
Coly Row CF46: B'nog 3D **18**
Commerce Pl. CF44: A'man 4E **15**
Commercial Pl. CF45: M Ash 1D **32**
Commercial St. CF32: N moel 1G **69**
CF32: Ogm V 5G **69**
CF34: Maesteg 4C **66**
CF38: Bed 6C **50**
CF43: Fern 6H **23**
CF44: A'dare 1C **14**
CF45: M Ash 2D **24**
CF46: B'nog 4E **19**
CF46: Nels 3E **35**
CF48: Dowl 3B **6**
CF72: L'sant 4H **57**
SA13: B'gnfi 6G **65**
SA13: G'cwg 1B **64**
Commercial Ter.
CF46: T'harris 1B **34**
Common App. CF38: Bed 1C **58**
Common Rd. CF37: P'prdd 2F **47**
(not continuous)
Compton Rd. CF40: T'pandy 4E **37**
Concorde Dr. CF39: T'fail 6B **44**
Coniston Ri. CF44: C'bach 2G **15**
Consort St. CF45: M Ash 4E **25**
Constantine Ct. *CF40: P'graig 1G 43*
(off Constantine St.)
Constantine St. CF40: P'graig 6G **37**
Convil Rd. CF32: B'grw, P'mer 1A **68**
Conway Cl. CF37: Glyn 4E **41**
Conway Cres. CF38: Tont 3H **51**
Conway Dr. CF44: C'bach 2G **15**
Conway Gro. CF48: M Tydfil 5A **4**
Conway Rd. CF42: Treo 2D **28**
Conybeare St. CF45: M Ash 3D **24**
Cooperative Cotts.
CF44: A'dare 1B 14
(off North Av.)
Co-operative St. CF41: Ton P 4F **29**
Coopers Way CF72: C Inn 4B **58**
Coplestone St. CF45: M Ash 3D **24**
Copley St. CF45: M Ash 1D **24**
Coppice, The CF38: Tont 3A **52**
Coppins Row CF48: M Tydfil 6F **5**
Copse, The CF48: Tre'han 1D **4**
Corbett St. CF32: Ogm V 6G **69**
CF42: Treh 4E **21**
Corner Ho. St. CF44: L'coed 2C **10**
Corn Stairs Hill CF37: P'prdd 2F **47**
Cornwall Rd. CF40: P'graig 6G **37**
Coronation Av. SA13: Croes 1F **65**
Coronation Pl. CF48: A'fan 6A **18**
Coronation Rd. CF34: Pont R 3F **67**
CF39: Evan, Gilf G 4B **42**
Coronation St. CF32: Ogm V 3G **69**
CF40: W'twn 1G **43**
Coronation Ter. CF34: Nantyff 2B **66**
CF37: P'prdd 6G **41**
CF39: Porth 4D **38**
CF48: H'rrig 6D **4**
Corporation St. CF47: M Tydfil 5H **5**
Corrwg Ct. SA13: G'cwg 2B **64**
Corrwg Vs. SA13: Croes 2E **65**
Cottesmore Way CF72: C Inn 5A **58**
Cottrell St. CF48: A'fan 6A **18**
Council St. CF47: M Tydfil 3H **5**
County Vw. CF37: R'fln 1C **52**
Court Colman St.
CF32: N moel 1G **69**
Court Ho. St. CF37: P'prdd 3E **47**
Courtland Ter. *CF47: M Tydfil 6G 5*
(off Union St.)
Court St. CF34: Maesteg 4B **66**
CF40: T'pandy 3C **36**
CF47: M Tydfil 1C **12**
Court Ter. *CF47: M Tydfil 1C 12*
(off Twynyrodyn Rd.)
Cowbridge Rd. CF72: P'clun 6C **60**
CF72: P'clun, T Grn 3D **60**
(not continuous)
CF72: T Grn 6F **57**
(not continuous)
Crabapple Cl. CF47: M Tydfil 2F **5**
Crabtree Rd. CF40: T'law 4G **37**
Crabtree Wlk. CF48: Tre'han 1C **4**
Craig Cres. CF39: Porth 2B **44**
Craiglas CF32: L'nor 5D **70**
Craig St. CF43: P'gwth 6F **31**
Craig y Bedw CF34: Caerau 5C **64**
Craig-y-Darren CF44: C'dare 6A **10**
Craig-y-Llyn Cres.
CF44: C'bach 1G **15**
Crawford Cl. CF38: Bed 1D **58**
Crawshay Rd. CF40: P'graig 6G **37**
Crawshay St. CF37: Y'bwl 6B **32**
CF41: Pentre, Ton P 3G **29**
CF44: Hirw 1D **8**
CREIGIAU 2G **63**
Crescent, The CF44: C'dare 5A **10**
Cresent St. CF48: M Vale 2B **26**
Cribbinddu St. CF37: Y'bwl 1C **40**
Criccieth Gro. CF48: M Tydfil 5A **4**
Crichton St. CF42: Treh 4E **21**
CF42: Treo 6G **21**
Crockett Pl. CF37: P'prdd 1C **46**
Croescade Rd. CF38: Llan F 6D **50**
CROESERW 2F **65**
Croeserw Ind. Est.
SA13: Croes 1G **65**
Croft, The CF32: L'nor 4A **70**
Cromer St. CF44: A'boi 6G **15**
Cromwell St. CF47: M Tydfil 5F **5**
Cross Blanche St. CF48: Dowl 2C **6**
Crossbrook St. CF37: P'prdd 2E **47**
Cross Brook St. CF42: B'ndda 1B **20**
Cross Francis Ter. CF48: Dowl 2A **6**
Cross Houlson St. CF48: Dowl 2B **6**
CROSS INN 5A **58**
Cross Inn Rd. CF72: L'sant 4H **57**
Cross Ivor Ter. CF48: Dowl 2A **6**
Cross King St. CF48: Pant 6F **7**
Cross Lake St. CF43: Fern 1D **30**
Cross Mardy St. CF47: M Tydfil 6A **6**
Cross Margaret St.
CF47: M Tydfil 5E **5**
Cross Morgan St.
CF47: M Tydfil 5F **5**
Cross Morlais St. CF48: Dowl 3A **6**
Cross Mt. Pleasant
CF48: T'rhiw 2A **18**
Cross Roads CF38: Bed 6B **50**
Cross Row *CF40: P'graig 6F 37*
(off Balaclava Ct.)
Cross St. CF34: Maesteg 4D **66**
CF37: C'fydd 4H **41**
CF37: P'prdd 1F **47**
(Trallwng)
CF37: P'prdd 1H **45**
(Trehafod)
CF39: Porth 6D **38**
CF39: Ynys 2D **38**
CF40: P'graig 5F **37**
CF40: T'pandy 2C **36**
Cross St. CF41: Ystrad 5B **30**
CF43: Fern 1D **30**
CF44: A'dare 2C **14**
CF44: Hirw 1D **8**
CF45: A'non 2E **33**
CF45: M Ash 5F **25**
CF46: T'harris 6F **27**
CF48: A'fan 1A **26**
CF48: Dowl 2B **6**
Cross Thomas St.
CF47: M Tydfil 1C **12**
Crossways St. CF37: P'prdd 1F **47**
Crosswood St. CF42: Treo 1E **29**
Crown Av. CF42: Treo 5G **21**
Crown Hill CF38: Llan F 1E **59**
Crown Hill Dr. CF38: Llan F 1E **59**
Crown Ri. CF34: Maesteg 4E **67**
Crown Rd. CF34: Maesteg 4D **66**
Crown Row CF34: Maesteg 4D **66**
CF44: C'bach 4G **15**
Crown Ter. CF42: Treo 5G **21**
Crwys Cres. CF37: Up Bo 1C **52**
Cuckoo St. CF32: P'mer 5B **68**
Curre St. CF44: A'man 3E **15**
Cuthbert St. CF32: Ogm V 5G **69**
Cwm Alarch CF45: M Ash 2A **24**
Cwm Alarch Cl. CF45: M Ash 2B **24**
CWMAMAN 5A **14**
Cwmaman Rd. CF44: A'man 5E **15**
CWMBACH 4H **15**
Cwmbach Ind. Est.
CF44: C'bach 4G **15**
Cwmbach Rd. CF44: A'dare 1D **14**
CF44: C'bach 2F **15**
(Brookbank Cl.)
CF44: C'bach 3F **15**
(Ynyscynon St.)
Cwmbach Station (Rail) 4G **15**
Cwm Cynon Bus. Pk.
CF45: M Ash 4F **25**
CWMDARE 6A **10**
Cwmdare Rd.
CF44: A'dare, C'dare 6A **10**
Cwmdu Rd.
CF34: Maesteg . . . . .4E **67** & 4F **67**
CF48: T'rhiw 2H **17**
Cwmdu St. CF34: Maesteg 4D **66**
Cwm Eithin CF46: Nels 4D **34**
CWMFELIN
CF34 . . . . .1F **67**
CF46 . . . . .5F **19**
Cwmglo Rd. CF48: H'rrig 6C **4**
Cwm Hyfryd CF39: T'fail 1C **48**
Cwm Issac CF44: Rhig 5A **8**
Cwm Nant-yr-hwch CF44: Peny . . .3A **10**
Cwmneol Pl. CF44: C'man 5A **14**
Cwmneol St. CF44: C'man 5A **14**
(not continuous)
CWM PARC 3B **28**
CWMPENNAR 6C **16**
Cwm Saerbren St. CF42: Treh 4D **20**
Cwmynysminton Rd.
CF44: L'coed 1A **10**
Cwrt Bryn Isaf CF44: Rhig 5A **8**
Cwrt Coed Parc
CF34: Maesteg 5D **66**
Cwrt Coed-y-Brenin
CF38: Chu V 5G **51**
Cwrt Faenor CF38: Bed 2B **58**
Cwrt Fforest CF45: M Ash 3E **25**
Cwrt Glanrhyd CF44: Rhig 5A **8**
Cwrt Glan Wern CF44: C'bach 3G **15**
Cwrt Glyndwr CF37: T'rest 5F **47**
Cwrt Gwalia CF32: Ogm V 5G **69**
Cwrt Llanwonno CF45: M Ash 4D **24**
Cwrt Llechau CF72: L'harry 3B **60**
Cwrt Maes Cynon CF44: Hirw 1E **9**
Cwrt Pentwyn CF38: Llan F 6D **50**
Cwrt Tre-Aman CF44: A'man 5F **15**
Cwrt Twyn Rhyd CF44: Rhig 5A **8**
Cwrt y Fedwen CF34: Maesteg 1F **67**
Cwrt y Garth CF38: Bed 2C **58**
Cwrt-y-Goedwig CF38: Llan F 6D **50**
Cwrt y Mwnws CF34: Maesteg 3C **66**
Cwrt Ynysmeurig CF45: A'non 5G **33**
Cwrt y Waun CF38: Bed 2C **58**
Cyfarthfa Castle & Mus. 4E **5**
Cyfarthfa Gdns. CF48: Cefn C 3D **4**
(not continuous)
Cyfarthfa Ind. Est.
CF47: M Tydfil 5E **5**
Cyfarthfa Rd. CF47: M Tydfil 4E **5**
Cymer Rd. CF34: Caerau 4D **64**
CYMMER
CF39 . . . . .1D **44**
SA13 . . . . .1D **64**
Cymmer Rd. CF39: Porth 5A **38**
CF40: Porth, T'law 5A **38**
SA13: G'cwg 2B **64**
Cymric Cl. CF44: Peny 3F **9**
Cynan Cl. CF38: Bed 1C
Cyncoed CF37: Y'bwl 4A
Cynllwyndu Rd. CF43: Tylor 4F
Cynon Cl. CF44: A'dare 5D
Cynon St. CF44: A'man 5F
Cynon Ter. CF44: Hirw 2E
CF45: M Ash 6F
Cynon Vw. CF37: C'fydd 6H
Cypress Cl. CF47: M Tydfil 2F
Cypress Ct. CF44: A'dare 6B
Cypress St. CF37: R'fln 2G
Cyrch-y-Gwas Rd.
CF37: T'rest 4G
Cyres Cres. CF47: M Tydfil 4G

D

Dalton Cl. CF47: M Tydfil 1D
Dan Caerlan CF72: L'sant 3A
Dane St. CF47: M Tydfil 5F
Dane Ter. CF47: M Tydfil 5F
Daniel St. CF44: C'bach 2H
Dan-y-Bryan CF34: Caerau 4C
Dan-y-Bryn CF32: N moel 1H
Dan y Bryn CF39: Evan 3B
Danybryn CF72: P'clun 3D
Danybryn Vs. CF37: T'rest 4F
Dan-y-Coed CF35: B'mll 6H
Danycoed CF41: Ystrad 5C
Dan-y-Coed CF45: M Ash 2E
Dan-y-Coedcae Rd.
CF37: P'prdd 4D
Danycoed Ter. CF40: T'pandy 2D
Dan y Cribyn CF37: Y'bwl 2C
Dan-y-Deri CF38: Chu V 5H
Danyderi CF44: A'man 5E
Dan-y-Deri La. CF48: Cefn C 3C
Danyderi Ter. CF48: M Vale 6A
Dan-y-Felin CF72: L'sant 4G
Dan-y-Gaer Rd.
CF82: G'gaer 1H
Dan y Graig CF32: Lew 2H
Danygraig CF41: Ystrad 4C
Danygraig Cres. CF72: T Grn 4G
Danygraig Dr. CF72: T Grn 4G
Danygraig Rd. CF72: L'haran 3G
Danygraig St. CF37: P'prdd 4D
Danygraig Ter. CF39: Ynys 1C
CF72: L'haran 4G
Danylan Rd. CF37: P'prdd 2C
Dan y Mynydd CF32: B'grw 1A
Dany Parc CF47: M Tydfil 5G
Dan-yr-Allt Cl. CF37: R'fln 2H
Dan yr Eglwys CF32: L'nor 5A
Dan yr Heol CF32: Lew 3H
Dan-yr-Heol CF44: Peny 3H
Dan-y-Rhiw CF44: C'man 6A
Danyronen CF48: H'rrig 6D
Dan yr Parc Vw.
CF47: M Tydfil 5H
Dan y Twyn CF46: T'harris 1B
Danywern Ter. CF41: Ystrad 4B
Dare Ct. CF44: C'dare 6A
Daren Cl. CF34: Maesteg 5F
Daren Ddu Rd.
CF37: P'prdd, Y'bwl 3C
Dare Rd. CF44: C'dare 6A
Dare Valley Country Pk. 6H
Dare Vs. CF44: A'dare 1B
Darran Rd. CF45: M Ash 3D
Darran Ter. CF43: Fern 1D
Darren Bungs. CF32: P'mer 1A
Darren Las CF48: M Vale 3B
Darren Pk. CF37: P'prdd 6F
Darren Vw. CF34: Pont R 2F
CF47: M Tydfil 5H
Darren Vw. Ct. CF37: P'prdd 6G
David Dower Cl. CF45: A'non 5G
David Price St. CF44: A'dare 2C
David's Ct. CF72: P'clun 1F
David St. CF32: B'grw 1A
CF40: P'graig 6G
CF40: T'pandy 2D
CF42: B'ndda 1B
CF42: Treh 4D
CF42: Treo 3B
CF44: A'dare 6C
CF44: C'dare 6A
CF47: M Tydfil 2C
(Ernest
CF47: M Tydfil 5
(Up. Edward
Davies Cl. CF40: T'law 4A
Davies Pl. CF39: Ynys 3C
Davies Row CF44: Hirw 1
Davies St. CF39: Porth 5C
CF40: T'pandy 3D
CF48: Dowl 2

...ies Ter. CF34: Nantyff 1B 66
CF47: M Tydfil 1C 12
(off Twynyrodryn Rd.)
...vis St. CF44: A'man 3E 15
...wkin Pl. CF44: A'dare 4A 10
...ans Cl. CF37: R'fln 5H 47
...an St. CF44: A'dare 1C 14
...Barri St. CF37: R'fln 1H 51
...ere Rd. CF38: Llan F 1E 59
GAR .6A 60
...newydd La. CF38: Llan F . .6F 51
...Fryn CF44: L'coed 3C 10
...l, The CF38: Tont 2H 51
...C d'are 6A 10
...wen Ter. CF42: B'cwm 3A 20
...abigh Cl. CF48: H'rrig 6B 4
...anithorne Cl. CF48: Dowl 3C 6
...oot Rd. CF44: A'dare 1F 14
...i Ter. CF43: Tylor 5F 31
...wen Aur CF39: Porth 5D 38
...wendeg Av. CF37: Glyn 4F 41
...wen Rd. CF41: Ystrad 4A 30
...C'plun 2F 61
...went Dr. CF44: C'bach 2G 15
...penser Av. CF72: L'sant 5H 57
...onshire Dr. CF44: Hirw 1C 8
...ward Stephens Ter.
CF48: T'rhiw 3A 18
...Winton Fld. CF40: T'pandy .3E 37
...Winton St. CF40: T'pandy . .3E 37
...Winton Ter. CF40: T'pandy .3E 37
...VI SANT HOSPITAL 3E 47
...vi St. CF37: P'prdd 6G 41
...na St. CF48: T'rhiw 2H 17
...ngton Ter. CF45: M Ash 6F 25
...vyn St. CF45: M Ash 5F 25
...s St. CF42: B'cwm 3A 20
...am Cl. CF32: N moel 1H 69
...am Pk. CF41: Ton P 1F 29
(Dinam Pk. Av.)
CF41: Ton P 4F 29
(Matexa St., not continuous)
...am Pk. Av. CF41: Ton P 4F 29
...AS 5H 37
...as Ent. Cen. CF39: Porth . . .5C 38
...as Isaf Ind. Est.
CF40: W'twn 2H 43
...as Isaf Ind. Est. W.
CF40: W'twn 3H 43
...as Rd. CF38: P'graig 5F 37
(off P'graig, T'pandy, T'law)
. . . . .4F 37
...as Station (Rail) 5H 37
...nam St. CF32: N moel 1G 69
...illery Rd. La.
CF37: P'prdd 1B 46
(off Margaret St.)
...rict St. CF47: M Tydfil 4H 5
...on St. CF47: M Tydfil 6F 5
...ddington Pl. CF37: P'prdd .1G 47
...AU 5F 55
...coed CF44: L'coed 3C 10
...jellau Av. CF38: Tont 3H 51
...gwilyn St. CF43: P'gwth . . .6G 31
...y-Felin CF15: Cre 2F 63
...y-Llan CF72: P'clun 1H 61
...ald St. CF46: Nels 3E 35
CF48: A'naid 5D 12
...othy St. CF37: P'prdd 1F 47
CF41: Gelli 4H 29
...er Pl. CF44: A'dare 1B 14
...er St. CF41: Gelli 5H 29
CF45: M Ash 3D 24
...er Ter. CF44: A'dare 1B 14
(off Gadlys Ter.)
...VLAIS 3B 6
...lais St. CF44: A'dare 1B 14
...VLAIS TOP 2D 6
...e, The CF72: P'clun 3H 61
...s Col Hazeldene
CF72: L'harry 6B 60
...ds Cl. CF42: Treo 2D 28
...William Price Bus. Cen.
CF37: T'rest 5G 47
...ryn Bach Ter.
CF38: Chu V 6H 51
...ryn Cl. CF39: T'fail 5H 43
...ryn Cres. CF72: B'cae 5E 55
...ryn Fawr CF48: P'bach 5F 13
...ryn Ffwd CF15: N'grw 5G 53
...rynmadog CF44: Nantyff . . .2B 66
...ryn Rd. CF37: R'fln 6H 47
CF44: C'bach 4H 15
...ryn St. CF44: A'man 5E 15
CF45: M Ash 2D 24
...ryn CF38: Chu V 5H 51
(off Main Rd.)
CF39: T'fail 6H 43

Duke St. CF34: Maesteg 5E 67
CF37: T'rest 5F 47
CF44: A'dare 1C 14
Dumfries Cl. CF42: Treo 6H 21
Dumfries St. CF42: Treh 3D 20
CF44: A'dare 2C 14
Dunraven Cres. CF72: T Grn . .5E 57
Dunraven Pl. CF32: Ogm V . . .4G 69
CF39: Evan 3B 42
SA13: G'cwg 1A 64
Dunraven St. CF40: T'pandy .3E 37
CF42: Treh 3D 20
SA13: G'cwg 1A 64
Dunraven Ter. CF42: Treo 6G 21
Durham Cl. CF48: H'rrig 6B 4
Dwyfor Rd. SA13: Croes 2F 65
DYFFRYN 5C 64
Dyffryn Av. CF37: R'fln 1G 53
Dyffryn Cres. CF37: R'fln 1G 53
Dyffryn Fawr Est.
CF48: P'bach 5F 13
Dyffryn Gdns. CF37: R'fln 1G 53
Dyffryn Rd. CF34: Caerau 5C 64
CF34: Caerau 5C 64
CF37: R'fln 2G 53
CF45: M Ash 1D 24
CF48: P'bach 5E 13
Dyffryn Row CF34: Nantyff . . .2B 66
Dyffryn St. CF43: Fern 1E 31
Dyfodwg St. CF42: Treo 1D 28
Dyhewydd Isaf CF38: Llan F .6F 51
Dyke St. CF47: M Tydfil 1C 12
Dylan Av. CF38: Bed 2C 58
Dyllas Cl. CF44: Maer 1D 44
Dyllas Rd. CF39: Porth 1D 44
Dynea Cl. CF37: R'fln 2H 53
Dynea Rd.
CF37: R'fln, Up Ba 1H 53
Dynevor Gro. CF48: M Tydfil . . .5A 4
Dynevor St. CF48: M Tydfil 6F 5
Dynevor Ter. CF46: Nels 4E 35

E

East Av. CF44: A'dare 1B 14
Eastbourne Pl. CF47: M Tydfil . . .2C 12
(off Plymouth Cl.)
Eastern Av. SA13: Croes 1F 65
Eastfield Cl. CF72: L'sant 5A 58
Eastfield Pl. CF47: M Tydfil . . .3C 12
Eastfield Ter. CF47: M Tydfil . .2C 12
East Rd. CF43: Tylor 2F 31
East Side CF37: L'nor 6B 70
East St. CF37: P'prdd 1F 47
CF40: T'pandy 3D 36
CF43: Tylor 3F 31
CF48: Dowl 3B 6
Ebenezer Rd. CF40: T'pandy . .4F 37
Ebenezer St. CF37: R'fln 5H 47
CF44: A'dare 5C 10
Edgar St. CF47: M Tydfil 3H 5
EDMONDSTOWN 2H 43
Edmondstown Rd.
CF39: Porth, W'twn 1H 43
CF40: W'twn 1H 43
Edmund St. CF39: Porth 6E 39
CF43: Tylor 4G 31
Edward Cl. CF47: M Tydfil 6H 5
Edwardian Way
CF37: P'clun 2H 61
Edwards Cl. CF40: T'law 3F 37
Edwards Ter. CF46: B'nog 4E 19
CF46: T'harris 2B 34
CF46: T'lewis 5G 27
Edward St. CF39: Porth 6D 38
CF43: Maer 3C 22
CF44: A'dare 5C 10
CF45: A'non 5G 33
CF45: M Ash 4E 25
CF46: T'harris 1B 34
CF48: Pant 6G 7
EDWARDSVILLE 1H 33
Edwardsville CF46: T'harris . .1H 33
Edwardsville Swimming Pool
. . . . .1H 33
EFAIL ISAF 2G 59
Efail Shingrig CF46: T'lewis . .2D 34
EFI Ind. Est. CF47: M Tydfil . . .4D 4
Eglwys Av. CF37: R'fln 2G 53
Eglwysilan Rd.
CF83: Abert . . . . . .1E 53 & 3G 53
Egypt St. CF37: T'rest 3F 47
CF40: T'law 4H 37
Eight Av. CF47: M Tydfil 2G 5
Eileen Pl. CF42: Treh 3C 20
Eirw Rd. CF39: Porth 6E 39
Eisteddfa Rd. CF40: Ystrad . . .5D 30
Elan Cl. CF44: C'bach 1G 15

Eleanor St. CF40: T'pandy 3E 37
CF40: T'pandy 5E 21
Eleventh Av. CF47: M Tydfil . . .2H 5
Elizabeth Cl. CF41: Pentre 3F 29
Elizabeth St. CF39: T'fail 3D 48
CF41: Pentre 2F 29
CF44: A'dare 2C 14
CF45: A'non 5F 33
Ellis Cl. CF72: L'sant 2E 57
Elm Gro. CF44: A'dare 1B 14
CF37: Hirw 1E 9
CF47: M Tydfil 3F 5
Elmgrove Cl. CF37: Glyn 4E 41
Elm Pk. CF72: L'harry 6B 60
Elms Pk. CF72: P'clun 3H 61
Elm St. CF37: R'fln 2G 53
CF39: Gilf G 6B 42
CF43: Fern 6H 23
CF44: A'boi 6G 15
CF47: M Tydfil 4H 5
CF48: T'rhiw 2H 17
Elm Ter. CF32: Ogm V 6G 69
Elm Wood Dr. CF39: T'fail 1A 48
Elwyn Dr. CF47: M Tydfil 1D 12
Elwyn St. CF39: T'fail 5F 49
Ely Ind. Est. CF40: W'twn 1F 43
Ely St. CF40: T'pandy 4E 37
CF72: P'clun 1F 61
Ely Valley Ind. Est.
CF72: P'clun 1E 61
Ely Valley Rd.
CF39: L'sant, T Grn, T'fail . . .3E 49
(not continuous)
CF72: L'sant 6G 49
Emanda Gdns. CF35: B'nna . . .6B 54
Emlyn Ter. CF40: T'pandy 3B 36
CF47: M Tydfil 5E 5
(off Brecon Rd.)
Emmanuel Cl. CF42: Treh 4D 20
Enid St. CF40: T'law 4H 37
Enoch Morrell Cl.
CF48: T'rhiw 2H 17
Enterprise Cen.
CF48: P'bach 6E 13
Erw Fach CF38: Chu V 4F 51
Erw Hir CF72: L'sant 4H 57
Erw Las CF44: Peny 3H 9
CF47: M Tydfil 5C 4
Etna Ter. CF39: Gilf G 4C 42
Evans Sq. CF37: P'prdd 6G 41
Evans Ter. CF34: Caerau 5C 64
CF40: T'law 4H 37
CF40: T'pandy 2C 36
CF47: M Tydfil 1D 12
EVANSTOWN 3B 42
Evan St. CF46: T'harris 6F 27
CF45: M Ash 2C 24
Evergreen Ct. CF39: T'fail 5B 44
Ewenny Rd. CF34: Maesteg . . .5D 66
Excelsior Ter.
CF43: Fern, Maer 5E 23
Exchange St. CF34: Maesteg . .4B 66
Exeter Cl. CF48: H'rrig 6C 4
Exhibition Row CF44: L'coed . .2C 10

F

Factory La. CF37: P'prdd 3D 46
Fairfield Av. CF34: Maesteg . . .5C 66
Fairfield Cl. CF37: R'fln 1A 52
CF44: C'bach 2F 15
Fairfield La. CF37: R'fln 1A 52
Fairfield Rd. SA13: Croes 2F 65
Fairhill Dr. CF38: Tont 4A 52
Fairland Cl. CF72: L'sant 4A 58
Fairmeadows CF34: Maesteg . .1E 67
Fairmound Pl. CF38: Tont 5A 52
Fair Oak Cl. CF44: A'dare 1A 14
Fairview CF38: Bed 1C 58
Fair Vw. CF32: Ogm V 2C 42
CF40: W'twn 2H 43
CF44: Hirw 1C 8
CF46: T'harris 1A 34
Fair Vw. Cl. CF72: P'clun 2F 61
Fairview Est. CF48: M Tydfil . . .5A 4
Fairview Ter. CF45: A'non 4H 33
CF47: M Tydfil 1C 12
Fairways Vw. CF37: Glyn 4E 57
Fairy Glen CF32: Ogm V 3G 69
Fan Heulog CF37: Glyn 3F 41
Fanheulog CF72: T Grn 5F 57
Fardre Ct. CF38: Chu V 3G 51
Fardre Cres. CF38: Chu V 4H 51
Farm Rd. CF41: Gelli 6F 15
CF48: H'rrig 6C 4

Farm Ter. CF48: H'rrig 6D 4
(off Heolgerrig)
Fell St. CF46: T'harris 6F 27
Fenton Pl. CF32: P'mer 5B 68
Fenwick St. CF43: P'gwth 1A 38
Fern Cres. CF44: A'dare 6B 10
FERNDALE 1D 30
Ferndale Cl. CF43: Fern 6H 23
Ferndale Ind. Est. CF43: Fern . .5F 23
Ferndale Rd. CF43: Tylor 5F 31
Ferndale Swimming Pool 5E 23
Fern Hill CF41: Gelli 5H 29
Fernhill Cl. CF45: M Ash 2A 24
Fernhill Ct. CF47: M Tydfil 1E 5
CF48: T'rhiw 2A 18
Fernhill Station (Rail) 1B 24
Fernhill Ter. CF46: T'harris 1A 34
Fernleigh CF48: T'rhiw 3A 18
Ferns, The CF39: Hend 6D 42
CF46: T'harris 1C 34
Fern St. CF32: Ogm V 6G 69
CF39: Gilf G 6D 42
Fern Ter. CF40: T'pandy 3D 36
Ferrier's Row CF34: Maesteg . .4D 66
Ffaldau Ind. Est. CF32: P'mer . .3A 68
Ffaldau Ter. CF43: Fern 6F 23
Fforchaman Rd. CF44: C'man . .5A 14
Fforch Cl. CF42: Treo 6H 21
Fforchneol Row CF44: A'man . .6G 11
Ffordd Catraeth CF37: C'fydd . .6H 41
Ffordd Dinefwr CF15: Cre 2F 63
Ffordd Gerdinan CF38: Tont . . .4A 52
Ffordd Glas-y-Dorlan
CF38: Llan F 2D 58
Ffordd Llanbad CF39: Hend . . .6D 42
Ffordd Taliesin CF37: C'fydd . .5H 41
Ffordd Talygarn CF72: P'clun . .2F 61
Ffordd Tirwaun
CF44: A'man, C'bach 4F 15
Ffordd Trecastell
CF72: L'harry 3B 60
Ffordd Tryweryn CF37: C'fydd . .6H 41
Ffordd y Bedol CF37: Glyn 3F 41
Ffordd-y-Dderwen
CF45: M Ash 5B 16
Ffordd-yr-Ywen CF38: Tont . . .3A 52
Ffordd Gower Davies
CF37: Y'bwl 2C 40
Ffordd-y-Gollen CF38: Tont . . .3H 51
Fforest Rd. CF45: M Ash 2E 25
CF72: L'harry 4A 60
Fforest Uchaf Farm 6F 47
Fforddd-y-Capel CF38: E Isaf . .2H 59
Ffos Cl. CF46: Nels 3E 35
Ffos y Cerridden CF46: Nels . .4D 34
Ffrwd Rd. CF44: Cefn C 2A 4
Ffrwd St. CF44: A'man 5E 15
Ffrwd Ter. CF44: Hirw 2E 9
Ffwrd Cres. CF45: M Ash 2D 24
Ffynnonbwla Rd. CF15: N'grw . .1E 53
CF37: Up Bo 1E 53
Ffynnon-Las CF40: Ystrad 5C 30
Ffynon Tudful CF47: M Tydfil . .5F 5
(off Brecon Rd.)
Fields Cl. CF37: P'graig 4A 58
Field St. CF40: P'graig 5F 37
CF46: T'lewis 6G 27
Fife St. CF45: A'non 4G 33
Fifth Av. CF44: Hirw 3C 8
CF47: M Tydfil 2G 5
Finchley Cl. CF48: T'rhiw 3H 17
Firbanks Way CF72: T Grn 4E 57
Fir Gro. St. CF41: Pentre 2F 29
First Av. CF47: M Tydfil 2G 5
Fir St. CF43: Fern 6H 23
Fir Tree Cl. CF47: M Tydfil 2F 5
Fir Tree Vw. CF47: M Tydfil 4G 5
(off Gwaelodygarth)
Fish La. CF37: P'prdd 3E 47
Fitzwilliam Cl. CF72: C Inn 5A 58
Foel Vw. Cl. CF38: Llan F 6D 50
Force Factory Est.
CF34: Maesteg 3B 66
Ford Rd. CF37: P'prdd 2C 46
CF37: Up Bo 3D 52
Forest Cl. CF37: T'rest 4G 47
Forest Gro. CF37: T'rest 6G 47
CF46: T'harris 1H 33
Forest Hills Dr. CF72: T Grn . . .5E 57
Forest Rd. CF37: T'rest 5G 47
CF38: Bed 1C 58
CF46: T'harris 5F 27
Forest Vw. CF32: B'grw 1A 68
CF45: M Ash 2A 24
CF72: T Grn 5G 57
Forest Vw. Bus. Pk.
CF72: L'sant 1G 57
Forge Pl. CF44: A'dare 6F 11

Forge Row CF44: A'man 5F 15
Forge St. CF41: Pentre 3G 29
Forge Trip CF44: A'dare 6F 11
Forge Vw. CF44: A'man 6E 15
Forsythia Cl. CF47: M Tydfil 2E 5
Fothergill Cres. CF47: M Tydfil . . .5G 5
Fothergill St. CF37: T'rest 4G 47
    CF44: A'dare 6F 11
    CF47: M Tydfil 5G 5
Founders Row CF44: L'coed 4C 10
Foundry Pl. CF37: P'prdd 1F 47
    CF39: Porth 6D 38
    CF47: M Tydfil 1C 12
        (off William St.)
Foundry Rd. CF37: P'prdd 2C 46
    CF40: T'pandy 3E 37
    CF44: Hirw 1D 8
Foundry Vw. CF44: A'man 6E 15
Fountain St. CF37: P'prdd 1H 45
    CF43: Fern 1D 30
    CF45: M Ash 2D 24
Fountain Ter. CF32: L'nor 5A 70
Fourteenth Av. CF44: Hirw 3C 8
Fourth Av. CF44: Hirw 4D 8
    CF47: M Tydfil 3G 5
Fowler's Pl. CF34: Caerau 5C 64
Fox Sq. CF46: T'harris 6F 27
        (off Fox St.)
Fox St. CF45: M Ash 2D 24
    CF46: T'harris 6F 27
Francis St. CF37: R'fln 1A 52
    CF39: T'fail 2D 48
    CF40: T'pandy 2B 36
    CF43: Fern 1E 31
        (off Cross St.)
    CF48: Dowl 2A 6
Francis Ter. CF37: P'prdd 6G 41
    CF48: Pant 6F 7
Fraternal Pde. CF37: P'prdd 2E 47
        (off Taff St.)
Fredderick St. CF43: Fern 1D 30
Frederick St. CF44: A'dare 6C 10
Fronheulog CF37: P'prdd 1C 46
Fron Ter. CF37: P'prdd 1F 47
Fron-Wen Ter. CF32: Ogm V 4G 69
Fronwen Ter. CF47: M Tydfil 4H 5
Furnace Rd. CF43: P'gwth 6G 31
Furnace Row CF44: T'rhiw 1H 17

G

Gadley's Ter. SA13: G'cwg 1A 64
GADLYS 6D 10
Gadlys Gdns. CF44: A'dare 1C 14
Gadlys Rd. CF44: A'dare 6D 10
Gadlys St. CF44: A'dare 1A 14
Gadlys Ter. CF44: A'dare 1B 14
Gadlys Uchaf CF44: A'dare 5D 10
        (off Meirion St.)
GALON UCHAF 2G 5
Galon Uchaf Rd. CF47: M Tydfil . .3G 5
Gamlyn Ter. CF44: Peny 3F 9
Garden City CF47: M Tydfil 3H 5
Garden St. CF48: Dowl 3B 6
Gardner Cl. CF37: Glyn 4F 41
Gareg Rd. CF32: P'mer 3A 68
Garn Rd. CF34: Maesteg 5D 66
Garnwen Rd. CF34: Nantyff 2B 66
Garnwen Ter. CF34: Nantyff 2B 66
Garreg Side CF32: P'mer 1A 68
GARTH 6E 67
Garth Av. CF34: Maesteg 6F 67
    CF37: Glyn 4E 41
Garth Gro. CF44: Hirw 1C 8
Garth Maelwg CF72: T Grn 5F 57
Garth (Mid Glamorgan) Station (Rail)
        . . . . .1E 67
Garth Olwg CF34: Maesteg 1F 67
Garth Rd. CF40: T'law 4G 37
Garth St. CF39: T'fail 5F 49
    CF47: M Tydfil 5F 5
Garth Ter. CF46: B'nog 5E 19
    CF47: M Tydfil 5H 5
        (off Fothergill St.)
Garth Vw. CF15: N'grw 5G 53
    CF38: Bed 1C 58
    CF38: Chu V 5H 51
        (off Main Rd.)
    CF47: M Tydfil 5H 5
        (off Corporation St.)
Garth Wen CF40: T'law 4G 37
Garwellt CF44: Peny 3G 9
Garw Fechan Rd.
    CF32: Pont-y-r 6A 68
Gas Rd. CF37: P'prdd 2E 47
Gasworks Rd. CF44: A'dare 4F 15
Gawr Valley Leisure Cen. 4A 68
GELLI 5H 29

Gelli Arael Rd. CF39: Gilf G 5B 42
Gelli Aur CF44: C'dare 6A 10
Gelli Crossing
    CF41: Gelli, Ystrad 4A 30
Gellidawel Rd. CF37: R'fln 1G 53
GELLIDEG 4C 4
Gelli-Deg CF39: T'fail 2D 48
Gellideg Rd. CF37: P'prdd 3C 46
Gelli Est. CF72: L'harry 4A 60
Gellifaelog Old Rd.
    CF47: M Tydfil 3A 6
Gellifaelog Ter. CF47: M Tydfil . . .3A 6
        (off Greenfield Ter.)
Gellifedi Ri. CF72: B'nna 4D 54
Gellifedi Rd. CF72: B'nna 4D 54
Gelli Fron CF41: Gelli 5G 29
GELLIGAER 1H 35
Gelligaer Rd. CF46: T'lewis 1D 34
    CF82: G'gaer 1E 35
Gelligaled Rd. CF41: Ystrad 4B 30
Gelligron Ind. Est. CF39: T'fail . . .6H 43
Gelligron Ter. CF39: T'fail 6H 43
Gelli Hirion CF37: R'fln 1C 52
Gelli Hirion Ind. Est.
    CF37: Up Bo 1C 52
Gelli Ho's. SA13: Croes 1G 65
Gelli Ind. Est. CF41: Gelli 4A 30
Gelli-Isaf CF44: L'coed 4C 10
Gelli'r Haidd CF39: T'fail 4E 37
Gelli Rd. CF37: Y'bwl 6C 32
    CF40: T'pandy 4E 37
    CF41: Gelli, Ton P 4G 29
    CF72: L'harry 4A 60
Gelli Seren Cl. CF39: T'fail 2C 48
Gelli St. CF34: Caerau 4C 64
Gelli Ter. CF41: Gelli 5A 30
    SA13: Aberg 6G 65
Gelliwastad Gro. CF37: P'prdd . . .2E 47
Gelliwastad Rd. CF37: P'prdd 2E 47
Gelliwasted Ct. CF37: P'prdd 2E 47
        (off Library Rd.)
Gelliwion Rd.
    CF37: L'sant, P'cae, P'prdd . . .6H 45
    CF37: P'prdd 4B 46
Gelliwion Woods
    CF37: P'prdd 3C 46
Gelynog Ct. CF38: Bed 5B 50
Georges Ter. CF40: T'pandy 3D 36
George St. CF34: Caerau 3D 64
    CF40: P'graig 6F 37
    CF42: Treh 2E 21
    CF43: Fern . . . . .6H 23 & 1E 31
    CF44: A'man 5E 15
    CF46: B'nog 4E 19
    CF72: L'sant 4H 57
George Ter. CF45: M Ash 5F 25
    CF48: P'bach 5F 13
        (off Dyffryn Rd.)
GEORGE THOMAS HOSPITAL
(YSBYTY GEORGE THOMAS)
        . . . . .2E 29
Georgetown Vs. CF48: M Tydfil . . .5E 5
Georgian Way CF72: P'clun 2H 61
Gernant La. CF48: H'rrig 6B 4
Gersanws CF48: Cefn C 2B 4
Gertrude St. CF45: A'non 5G 33
Ger Y Afon CF37: Glyn 3F 41
Ger-y-Bont CF44: Peny 3G 9
Gethin Pl. CF48: A'naid 6D 12
        (off Gethin St.)
    CF42: Treo 1E 29
Gethin St. CF48: A'naid 5D 12
Gethin Ter. CF39: Porth 6F 39
Gilar St. CF47: M Tydfil 1B 12
Giles Cl. CF44: A'dare 6D 10
Gilfach-Cynon CF47: M Tydfil 1D 12
GILFACH GOCH 3C 42
Gilfach Rd. CF39: T'fail 6F 43
    CF40: P'graig 5E 37
    CF40: T'pandy 3E 37
Gilmour St. CF40: T'pandy 3E 37
Gladstone St. CF34: Maesteg 4C 66
    CF45: M Ash 4E 25
Gladstone Ter. CF47: M Tydfil 2C 12
Gladys St. CF39: T'fail 5F 49
Glamorgan Ct. CF44: A'man 4F 15
        (off Bedford St.)
Glamorgan St. CF44: A'man 4E 15
    CF45: M Ash 6F 25
Glamorgan Ter. CF39: Gilf G 4C 42
    CF40: L'nypia 2E 37
    CF40: W'twn 2G 43
Glamorgan Vale Retail Pk.
    CF72: T Grn 5H 57
Glanafon Ter. CF34: Caerau 5C 64
Glanaman Rd. CF44: C'man 1H 23
Glanant St. CF44: Hirw 2D 8

Glanavon Ter. CF32: N moel 1G 69
Glan Creigiau CF72: Groes F 2E 63
Glancynon CF45: M Ash 4E 25
Glancynon Ter. CF44: A'man 4E 15
    CF45: A'non 4G 33
Glandwr Ter. CF40: L'nypia 2E 37
Glanfelin Flats CF37: R'fln 1A 52
Glan Ffrwd CF39: Porth 2B 44
Glanfrwd Ter. CF37: Y'bwl 5B 32
Glanmorlais CF48: Pant 1B 6
Glannant Rd. CF39: Evan 4B 42
Glannant St. CF40: P'graig 5F 37
    CF44: A'dare 2C 14
Glanrhyd St. CF44: C'man 1G 23
Glan Rd. CF44: A'dare 1A 14
Glanselsig Ter. CF42: B'cwm 3A 20
Glantaff Rd. CF48: T'rhiw 2H 17
Glanville Ter. CF43: Maer 5C 8
Glan-y-Llyn CF40: T'pandy 3C 36
Glan y Nant CF37: R'fln 1C 52
Glan-yr-Afon CF34: Maesteg 1E 67
    CF42: Treo 6G 21
    CF48: A'fan 2A 26
Glan yr Afon CF72: P'clun 2F 61
Glan-yr-Afon Ct. CF34: Caerau . . .4C 64
        (off Hermon Rd.)
Glan-yr-Ely CF72: L'sant 2E 57
Glasbrook Ter. CF45: M Ash 6G 25
Glas Cwm CF37: Glyn 3F 41
Glasfryn CF44: C'dare 6B 10
Glasier Rd. CF47: M Tydfil 2D 12
Glaslyn Dr. CF44: C'bach 1G 15
GLEBELAND 6F 5
Glebeland Pl. CF47: M Tydfil 6F 5
Glebeland St. CF47: M Tydfil 6F 5
Glenavon Ter. SA13: G'mmer 1D 64
Glenavon Ter. CF39: Gilf G 4C 42
GLENBOI 2A 24
Glenboi CF45: M Ash 1A 24
Glenbrook CF45: M Ash 2B 24
Glen Cl. CF45: M Ash 2B 24
Glendower St. CF48: Dowl 2A 6
Glen Garw CF32: B'grw 1A 68
Glenrhondda Ct. CF42: Treh 3D 20
Glen Vw. St. CF40: T'pandy 2D 36
Gloucester Bldgs. CF32: P'mer . . .5A 68
Gloucester St. CF44: A'dare 1C 14
Gloucester Vw. CF45: A'non 2E 33
Glynbargoed Cl. CF46: T'lewis . . .6G 27
Glyn Bargoed Ter.
    CF46: T'lewis 6G 27
GLYNCOCH 3F 41
Glyncoch Ter. CF37: Glyn 4G 41
Glyn Coed CF43: Maer 5D 22
Glyncoed Ter. CF47: M Tydfil 2C 12
Glyncoli Cl. CF42: Treo 6H 21
Glyncoli Rd. CF42: Treo 1D 28
Glyncornel Cl. CF40: L'nypia 1E 37
GLYNCORRWG 1A 64
Glyncorrwg Ind. Est.
    SA13: G'cwg 2A 64
Glyncorrwg Ponds Vis. Cen., The
        . . . . .2A 64
Glyn-Dwr Av. CF37: R'fln 5H 47
Glyndwr Ct. CF41: Pentre 3G 29
Glyndwr St. CF48: M Vale 6A 18
Glyndyrus Cl. CF48: A'naid 4C 12
Glynfach Rd. CF39: Porth 1D 44
Glyngwyn St. CF45: M Ash 3E 25
Glynhafod St. CF44: C'man 1G 23
Glynmill Cl. CF47: M Tydfil 5H 5
Glyn- Mynach St. CF37: Y'bwl 1C 40
Glynn Ter. CF47: M Tydfil 5G 5
        (off Trevethick St.)
Glynrhondda St. CF42: Treo 6G 21
Glyn St. CF32: Ogm V 6G 69
    CF37: Y'bwl 1C 40
    CF39: Porth 1D 44
Glyntaf Cl. CF48: T'rhiw 2H 17
GLYNTAFF 4H 47
Glyntaff Cl. CF37: R'fln 1G 53
Glyntaff Crematorium
    CF37: R'fln 4H 47
Glyntaff Housing Est.
    CF37: R'fln 1G 53
Glyntaff Rd. CF37: R'fln 3H 47
Glyn Teg CF32: L'nor 6A 70
Glyn Ter. CF40: T'pandy 2D 36
Glyn Vw. CF39: T'fail 6C 44
Goat Mill Rd. CF47: M Tydfil 5A 6
    CF48: Dowl, M Tydfil 5A 6
Gobaith Ter. CF44: C'dare 6H 9
        (off Cwmdare Rd.)
GODREAMAN 5E 15
Godreaman St. CF44: A'man 6E 15
Godre'r Coed Rd.
    CF48: Cefn C 3C 4
Goitre Coed Isaf CF45: A'non 3H 33
Goitre-Coed Rd.
    CF46: T'harris 2A 34

Goitre La. CF47: M Tydfil 1F
Golden Ter. CF34: Maesteg 4D 6
Golf Rd. CF44: A'dare 6G 1
Golygfa'r Eglwys CF37: P'prdd . . .2C 4
Goodwin St. CF34: Maesteg 4D 6
Gordon St. CF41: Ton P 4F 2
    CF44: A'man 6D 1
Gorsedd St. CF45: M Ash 3C 2
Gorsedd Ter. CF47: M Tydfil 5G
Gorwyl Rd. CF32: Ogm V 5G 6
Gospel Hall Ter. CF44: A'dare 6D 1
Gower Davies Ct. CF37: Y'bwl . . .2C 4
Gower Rd. CF44: C'bach 1G 1
Grafton Dr. CF72: C Inn 5A 5
Graham Way CF47: M Tydfil 6F
GRAIG 4D 4
    CF44: A'boi 6G 1
Graig Av. CF37: P'prdd 2C 4
Graig Cl. CF48: A'naid 5C 1
Graig Cres. CF44: A'boi 6G 1
Graig Ddu CF48: Maer 5D 2
Graig Ddu Pl. CF40: T'law 5A 3
Graigddu Rd.
    CF40: P'graig, T'law 5H 3
Graig Fach CF37: R'fln 4H 4
Graig-Fryn-Ter. CF32: N moel 1G 6
Graig Isaf CF44: A'dare 2B 1
Graiglwyd CF44: C'dare 5A
Graig Pl. CF44: A'dare 2B 1
Graig Rd. CF39: Ynys 2C 3
    CF48: A'naid 5C
    SA13: Aberg, B'gnfi 5E
Graigside CF15: N'grw 6G
Graig St. CF37: P'prdd 3E 4
    CF44: A'dare 2B 1
    CF45: M Ash 2D 2
Graig Ter. CF35: B'mll 5H 5
    CF37: P'prdd 3E 4
    CF43: Fern 2B 3
    CF44: A'boi 6G 1
    CF46: B'nog 4E 1
    CF48: Dowl 2A
    SA13: Aberg 6E 6
Graig Vw. CF15: N'grw 5H 5
Graig Wen CF43: Maer 5D 2
Graigwen Parc CF37: P'prdd 2D 4
Graigwen Pl. CF37: P'prdd 2D 4
Graigwen Rd. CF37: P'prdd 2C 4
    CF39: Porth 1C 4
Graig-y-Ddelw CF42: B'cwm 2B 2
Graig y Fforest CF37: T'rest 6G
Graig y Hendre CF46: B'nog 4F
Graig-y-Mynydd CF39: T'fail 2C 4
Graig-yr-Eos Ter.
    CF40: P'graig 6G 3
Graig-yr-Helfa Rd.
    CF37: P'prdd, R'fln 3G 4
Graig yr Hesg Pl.
    CF37: P'prdd 6F 4
Graig yr Hesg Rd.
    CF37: P'prdd 6F 4
Grand Vw. Ter. CF40: P'graig 6G
Grange Ter. CF40: L'nypia 2E 3
Granville Ter. CF45: M Ash 1D 2
Grasmere Dr. CF44: C'bach 2C
Grawen La. CF48: Cefn C 2B
Grawen St. CF39: Porth 5G
Grawen Ter. CF47: M Tydfil 5E
Gray's Pl. CF48: M Vale 1B 2
Great St. CF37: P'prdd 1H
Gt. Western Sq. SA13: B'gnfi 6G 6
        (off Station Rd
Green Acre CF15: Cre 3E
Green Acre Dr. CF40: T'pandy 4E
Greenfield Av. CF37: Glyn 4E
Greenfield Gdns.
    CF48: P'bach 5E
Greenfield Rd. CF40: P'graig 6G
Greenfield Ter. CF32: B'grw 1A
    CF32: Ogm V 5D
    CF34: Caerau 4D
    CF40: Pont R 3G
    CF42: Treo 3A
    CF44: C'bach 4G
    CF45: A'non 3G
    CF45: M Ash 5D
    CF47: M Tydfil 3H
    CF48: P'bach 5E
        (off Morlais
Green Hill CF32: P'mer 4A
    CF41: Ystrad 5B
Greenhill CF43: Fern 1B
        (off Pleasant
Greenhill Dr. CF44: A'man 4E
Greenhill Pl. CF82: G'gaer 1E
Greenlands Rd. CF72: L'sant 4A
Green Mdw. SA13: G'cwg 1A
Greenmeadow Cl. CF37: Glyn 4F

Greenmeadow Ct.—Heol Pont y Seison

eenmeadow Ct.
CF72: L'sant 5A 58
eenmeadow Riding Cen. 2A 14
eenmeadow Ter.
CF32: L'nor 3E 71
CF40: W'twn 1G 43
een Pk. CF72: P'clun 6D 56
CF72: T Grn 5G 57
een St. CF44: A'dare 1C 14
(off High St.)
een, The CF48: Tre'han 1D 4
eenways CF44: A'dare 6G 11
eenways, The
CF34: Maesteg 6B 66
eenwood Av.
CF34: Maesteg 6C 66
eenwood Cl. CF47: M Tydfil 2D 12
(off Wheatley Pl.)
eenwood Dr. CF38: Llan F 6D 50
CF44: Hirw 2F 9
esham Pl. CF46: T'harris 1A 34
eyhound La. CF72: L'sant 4H 57
eys Pl. CF44: L'coed 2D 10
iffiths Ter. CF34: Caerau 3C 64
CF48: P'bach 6F 13
(off Dyffryn Rd.)
iffith St. CF43: Maer 3C 22
CF44: A'dare 2C 14
iffith Ter. CF48: A'fan 1A 26
iffth St. CF41: Pentre 3F 29
OESFAEN 3E 63
oeswen Rd. CF15: Caer 3G 53
ongaer Ter. CF37: P'prdd 3D 46
osvenor Ter. CF34: Caerau 4C 64
ovefield Ter. CF40: P'graig 5F 37
ove Ho. Ct. CF43: P'gwth 6G 31
ove Pk. CF47: M Tydfil 4F 5
overs Cl. CF37: Glyn 3F 41
overs Fld. CF45: A'non 6F 33
over St. CF37: P'prdd 3D 46
ove St. CF34: Nantyff 1C 66
ove Ter. CF37: Y'bwl 1C 40
CF44: A'boi 6G 15
CF46: B'nog 4E 19
CF72: L'haran 4F 55
ove, The CF37: Glyn 3F 41
CF44: A'dare 2C 14
CF47: M Tydfil 2C 12
CF48: A'fan 5A 18
RNOS 2F 5
rnos Rd. CF47: M Tydfil 3D 4
aelod y Foel CF38: Llan F 5F 51
aelodygarth CF47: M Tydfil 4G 5
aelodygarth Cl.
CF47: M Tydfil 4F 5
aelodygarth La.
CF47: M Tydfil 4F 5
aelod-y-Garth Rd.
CF37: Up Bo 3C 52
aelodygarth Rd.
CF47: M Tydfil 5E 5
(not continuous)
alia Gro. CF37: R'fln 5H 47
alia Pl. CF47: M Tydfil 5G 5
(off Penyard Rd.)
alia Ter. CF44: A'man 3E 15
aun-Bant CF32: P'mer 3A 68
aun Bedw CF39: Porth 2C 44
aunfarren Cl. CF47: M Tydfil 3H 5
aunfarren Gro.
CF47: M Tydfil 4G 5
aunfarren Rd.
CF47: M Tydfil 4G 5
aunfarren Swimming Pool 4G 5
aunmiskin Rd. CF38: Bed 6B 50
aun Rd. CF37: R'fln 5H 47
aunruperra Cl.
CF72: L'sant 3H 57
aunruperra Rd.
CF72: L'sant 3H 57
awr St. CF44: A'man 3D 14
endoline St. CF32: B'grw 1A 68
CF32: N moel 2H 69
CF42: Treh 3C 20
CF47: M Tydfil 4G 5
endoline Ter.
CF34: Maesteg 6E 67
CF45: A'non 4G 33
enfron Ter. CF40: W'twn 1H 43
(off Edmondstown Rd.)
enllian Ter. CF37: T'rest 1H 51
ent Rd. CF37: Up Bo 4E 53
ent Ter. CF39: Porth 5C 38
ernifor St. CF45: M Ash 4D 24
ernllwyn Cl. CF48: Dowl 3A 6
ernllwyn Ter. CF43: Tylor 3F 31
ernllwyn Uchaf CF48: Dowl 2B 6
ernllyn Rd. CF48: Dowl 2B 6
ili Rd. CF37: Up Bo 2D 52
ilym St. CF37: R'fln 1H 51
Gwilym Ter. CF47: M Tydfil 2C 12
Gwlad du Gwyrdd CF39: Gilf G 6B 42
Gwladys CF48: Pant 1B 6
Gwladys St. CF44: Peny 4H 9
CF47: M Tydfil 4H 5
Gwyn Coedglas CF44: Peny 3G 9
Gwynedd Av. SA13: Croes 2F 65
Gwynfan Pl. CF47: M Tydfil 2C 12
(off Pease La.)
Gwynfi St. SA13: B'gnfi 5F 65
Gwynfi Ter. CF72: L'haran 4G 55
Gwynnes Cl. CF47: M Tydfil 5G 5
Gwyn St. CF37: T'rest 6G 47
Gyfeillon Rd. CF37: P'prdd 6A 40
Gynor Av. CF39: Porth 4C 38
Gynor Pl. CF39: Ynys 4C 38

H

Hadrian's Cl. CF82: G'gaer 1H 35
Hafandeg CF15: N'grw 6G 53
(off Caerphilly Rd.)
Hafan Deg CF34: Maesteg 1E 67
Hafandeg CF44: L'coed 3D 10
Hafan Heulog CF37: Glyn 2F 41
Hafod CF72: L'sant 2E 57
Hafod La. CF37: P'prdd 6G 39
Hafod St. CF48: P'bach 6F 13
Hafod, The CF48: Pant 1B 6
Hafod Wen CF39: T'fail 5B 44
CF44: C'dare 6A 10
Halifax Ter. CF42: Treh 2B 20
Hall St. CF44: A'dare 1C 14
Halswell St. CF45: M Ash 1D 32
Halt Cl. CF44: Rhig 4B 8
Halt Rd. CF44: Hirw, Rhig 4B 8
Hamilton St. CF45: M Ash 2C 24
CF48: P'bach 5E 13
Hamilton Ter. CF34: Caerau 3E 65
Hampton Pl. CF47: M Tydfil 1C 12
(off Rees St.)
Hampton St. CF47: M Tydfil 1C 12
Hankey Pl. CF47: M Tydfil 2C 12
Hankey Ter. CF47: M Tydfil 3C 12
Hannah St. CF39: Porth 6D 38
Hanover St. CF47: M Tydfil 5F 5
Harcombe Rd. CF40: L'nypia 1G 37
Harcourt Rd. CF45: M Ash 2C 24
Harcourt Ter. CF45: M Ash 4E 25
Harlech Dr. CF48: M Tydfil 5A 4
Harlech Pl. CF44: A'dare 2B 14
Harold St. CF72: L'haran 5F 55
Harriet St. CF44: A'dare 5C 10
Harriet Town CF48: T'rhiw 2H 17
Harrison St. CF47: M Tydfil 3H 5
Harris St. CF44: Hirw 2D 8
Harris Ter. CF45: M Ash 6F 25
Harris Vw. CF45: M Ash 6F 25
Hartshorn Ter. CF34: Caerau 3C 64
Harvey St. CF34: Maesteg 4D 66
Haul Fron CF40: W'twn 1G 43
Haulfryn CF44: Peny 3G 9
Haulwen CF44: C'dare 6B 10
Haven Cl. CF48: T'rhiw 3H 17
Haven, The CF44: Hirw 2D 8
Hawarden Ter. CF48: T'rhiw 2H 17
HAWTHORN 1A 52
Hawthorn Cres. CF37: R'fln 1B 52
Hawthorn Av. CF47: M Tydfil 3F 5
Hawthorne Ter. CF44: A'dare 2C 14
Hawthorn Hill CF48: Tre'han 1C 4
Hawthorn Leisure Cen. 1A 52
Hawthorn Pk. CF72: B'nna 4D 54
Hawthorn Ri. CF44: C'dare 6B 10
Hawthorn Rd. CF37: R'fln 1B 52
CF46: Nels 5F 35
CF72: L'harry 4A 60
Hawthorns, The CF48: Pant 6F 7
Hawthorn Ter. CF45: M Ash 5E 25
Haydn Ter. CF47: M Tydfil 3H 5
Hazel Ct. CF39: T'fail 5B 44
Hazel Dr. CF44: A'dare 1A 14
Hazel Ter. CF45: M Ash 5F 25
CF48: T'rhiw 1H 17
H Cefn-yr Hendy CF72: P'clun 2G 61
Heads of the Valleys Rd.
CF44: Hirw 2E 9
CF48: Cefn C, M Tydfil 3B 4
CF48: Dowl, Rhym 2H 5
CF48: M Tydfil 4A 4
Hearts of Oak Cotts.
CF34: Nantyff 6C 64
Heath Cl. CF44: C'bach 2F 15
Heath Cres. CF37: P'prdd 2D 46
Heather Cl. CF40: T'law 3F 37
Heather Rd. CF47: M Tydfil 2D 4
Heather Vw. Rd. CF37: P'prdd 1G 47
Heather Way CF39: Porth 6E 39
Heathfield Cres. CF72: B'cae 5E 55
Heathlands, The CF39: Gilf G 5C 42
Heathland Vs. CF37: T'rest 4G 47
Heath Ter. CF37: P'prdd 2D 46
CF39: Ynys 2D 38
Heddwch Cl. CF48: Pant 1A 6
Hedre Ter. CF40: P'graig 5G 37
Hendre Av. CF32: Ogm V 3G 69
Hendrecafn Rd. CF40: P'graig 5E 37
Hendrefadog St. CF43: Tylor 3F 31
HENDREFORGAN 6C 42
Hendreforgan Cres.
CF39: Hend 6C 42
Hendregwilym CF40: P'graig 6F 37
Hendrewen Rd. CF42: B'cwm 3A 20
HENDY 2H 61
Henllys CF39: Porth 3B 44
Henry Richard St.
CF48: T'rhiw 2A 18
Henry St. CF37: P'prdd 1C 46
CF44: A'man 3D 14
CF45: M Ash 2D 24
HENSOL HOSPITAL 6H 61
Hensol Rd. CF72: Hens 5H 61
CF72: P'clun 3G 61
Hensol Vs. CF72: Hens 6A 62
Henwysg Cl. CF37: P'prdd 1C 46
Heolaelfryn CF32: Lew 3H 71
Heol Alfred CF43: Maer 5D 22
Heol Aneurin CF39: T'fail 6A 44
Heol Appryce CF38: Bed 1C 58
Heol Arfryn CF32: L'nor 6B 70
Heol Bedw CF39: Porth 1D 44
Heol Billingsley CF15: N'grw 5F 53
Heol Bonymaen CF48: Pant 6F 7
Heol Bradford CF32: L'nor 5B 70
Heol Brofiscin CF72: Groes F 2D 62
Heol Brychan CF48: M Tydfil 4B 4
Heol Bryn CF44: Peny 3G 9
Heol Bryn Fab CF46: Nels 4D 34
Heol Bryn Glas CF38: Llan F 6F 51
Heol Bryn-Gwyn SA13: G'cwg 1A 64
Heol Bryn Hebog
CF48: M Tydfil 4B 4
Heol Bryn Heulog CF38: Llan F 5F 51
Heol Brynhyfryd CF38: Llan F 6D 50
Heol Brynman CF48: M Tydfil 4B 4
Heol Brynmoor John
CF38: Chu V 4F 51
Heol Brynnau CF44: C'dare 6A 10
Heol Bryn Padell
CF48: M Tydfil 4B 4
Heol Bryn Selu CF48: M Tydfil 4B 4
Heol Brynteg CF39: T'fail 1D 48
Heol Bryn-y-Gwyddyl
CF48: M Tydfil 4C 4
Heol Cadrawd CF34: Pont R 3F 67
Heol Cae-Defaid
CF34: Maesteg 4E 67
Heol Caerlan CF38: Bed 1B 58
Heol Capel CF39: T'fail 5A 44
Heol Caradoc CF44: Peny 3H 9
Heol Cawrdaf CF38: Bed 1C 58
Heol Cefn Ydfa CF34: Maesteg 6B 66
Heol Ceiriog CF39: Ynys 6H 31
Heol Celyn CF38: Chu V, Tont 4H 51
Heol Celynen CF37: Glyn 3F 41
Heol Cerdin CF34: Maesteg 1F 67
Heol Ceulanydd CF34: Caerau 3C 64
Heol Clwyddau CF38: Bed 2C 58
Heol Coflorna CF46: T'harris 1C 34
Heol Coroniad CF38: Bed 6C 50
Heol Creigiau CF15: Cre 5F 59
CF15: E Isaf 2F 59
CF38: E Isaf 2F 59
Heol Crochendy CF15: N'grw 4E 53
Heol-Croeserw SA13: Croes 1F 65
Heol Cronfa CF37: C'fydd 5H 41
Heol Cynan CF34: Pont R 3F 67
Heol Cynllan CF72: L'haran 5F 55
Heol Cynwyd CF34: Pont R 3F 67
Heol Dafydd CF72: P'clun 2E 61
Heol Dderwen CF38: Tont 3A 52
Heol Ddeusant CF38: Bed 1B 58
Heol Ddu CF72: L'sant 5A 50
Heol Deg CF38: Tont 4H 51
Heol Deri CF39: T'fail 1C 48
Heol Dewi CF72: B'nna 4C 54
Heol Dewi Sant CF32: L'nor 5A 70
Heol Dowlais CF38: E Isaf 2F 59
Heol Dyfed CF34: Maesteg 5F 67
CF38: Bed 2B 58
CF43: P'rhys 5E 31
CF44: Peny 3A 10
Heol Dyfodwg CF72: L'sant 3H 57
Heol Dyhewydd CF38: Llan F 6D 50
Heol Edward Lewis
CF82: G'gaer 1H 35
Heol Edwards CF15: N'grw 5G 53
Heol Elfed CF34: Maesteg 5E 67
Heol Esgyn CF44: Rhig 5A 8
Heol Fach CF15: N'grw 5G 53
Heol Faen CF34: Maesteg 5E 67
Heol Faenor CF38: Bed 2B 58
Heol Fawr
CF46: Nels, Ystrad 4E 35 & 6H 35
Heol Ffrwd Philip CF38: E Isaf 2H 59
Heol Ganol CF32: N moel 1H 69
Heol Gelli Lenor
CF34: Maesteg 6B 66
Heol Gelynen CF44: Peny 3G 9
Heol Gelynog CF38: Bed 1C 58
HEOLGERRIG 6C 4
Heolgerrig CF48: H'rrig 6C 4
Heol Glan Elai CF72: P'clun 3E 61
Heol Glannant CF32: L'nor 4A 70
CF40: W'twn 2H 43
Heol Glyncoch CF39: Hend 6D 42
Heol Glynpandy CF32: L'nor 5C 70
Heol Goronwy CF39: Ynys 6H 31
Heol Groeswen CF37: Up Bo 2D 52
Heol Gwrangfryn CF44: Rhig 6A 8
Heol Gwrgan CF38: Bed 1B 58
Heol Gwynno CF72: L'sant 3H 57
Heol Harry Lewis CF46: Nels 4D 34
Heol Haulfryn CF39: T'fail 1D 48
Heol Hendy CF72: P'clun 2G 61
Heol Hensol CF38: Bed 1C 58
Heol Heulog CF39: Evan 4B 42
Heol Horeb CF39: Porth 1C 44
Heol Ida CF38: Bed 6C 50
Heol Illtyd CF72: L'sant 3H 57
Heol Ioan CF43: P'rhys 5E 31
Heol Isaf CF39: T'fail 3E 49
CF46: Nels 4F 35
CF46: T'lewis 5G 27
Heol Isaf Hendy CF72: P'clun 2G 61
Heol Iscoed CF38: E Isaf 2G 59
Heol Islwyn CF39: T'fail 5A 44
CF46: Nels 4D 34
Heol Johnson CF72: T Grn 5F 57
Heol Kier Hardie CF44: Peny 3H 9
Heol Las. CF72: L'sant 3G 57
Heol Llangeinor CF32: L'nor 4D 70
Heol Llechau CF39: Ynys 6H 31
Heol Llwyn Brain
CF48: M Tydfil 4C 4
Heol Llwyn Deri CF48: M Tydfil 4C 4
Heol Llwyn Drysi
CF48: M Tydfil 4C 4
Heol Llwyndyrus CF34: Pont R 3E 67
Heol Llwynffynnon CF32: L'nor 4D 70
Heol Llwyn Gollen
CF48: M Tydfil 4C 4
Heol Llwyn Onnen
CF48: M Tydfil 4C 4
Heol Llyswen CF46: Nels 3E 35
Heol Lodwig CF38: Chu V 5G 51
Heol Mabon CF46: Nels 4D 34
Heol Mair CF43: P'rhys 5E 31
Heol Miles CF72: T Grn 5F 57
Heol Miskin CF72: P'clun 1F 61
Heol Morien CF46: Nels 4D 34
Heol Mwyrdy CF38: Bed 1B 58
Heol Mynydd CF37: C'fydd 5H 41
CF38: Tont 4A 52
Heol Nant CF37: C'fydd 5H 41
CF38: Chu V, Tont 4H 51
CF44: C'dare 5A 10
Heol Nant Caiach
CF46: T'harris 1C 34
Heol Nantgau CF48: M Tydfil 4B 4
Heol Neuadd Domos
CF34: Maesteg 1E 67
Heol Orchwy CF42: Treo 6H 21
Heol Pandy CF32: L'nor 5C 70
Heol Pant Gwyn CF72: L'harry 6B 60
Heol Pant-y-Gored
CF15: Cre, P'rch 2G 63
Heol Pantyrawel CF32: Lew 4G 71
Heol Parc Glas CF48: M Tydfil 4B 4
Heol Parc Maen CF48: M Tydfil 4C 4
Heol Parc-y-Lan CF48: M Tydfil 4C 4
Heol Pardoe CF15: N'grw 4F 53
Heol Pencerdd CF34: Maesteg 5F 67
Heol Pendarren CF44: Rhig 5A 8
Heol Pendyrus CF43: P'rhys 5D 30
Heol-Pen-Nant CF44: A'dare 5G 11
(off Aber-Nant Rd.)
Heol Penrhiw CF45: M Ash 6B 16
CF48: M Tydfil 4B 4
Heol Pentre CF34: Maesteg 6B 66
Heol Pentwyn CF39: T'fail 1D 48
Heol Pen-y-Bryn CF43: P'rhys 5E 31
Heol Pen-y-Foel CF37: Glyn 3F 41
Heol Pen-y-Parc CF37: Glyn 2F 41
CF72: L'sant 4H 57
Heol Persondy CF32: L'nor 5A 70
Heol Pont y Seison
CF46: Nels, Ystrad 5H 35

Heol Pymmer CF39: T'fail 1D 48
Heol Rhyd-y-Bedd CF48: Pant 1A 6
Heol Rhys CF44: C'bach 3H 15
Heol Richard Price CF32: L'nor . .4B 70
Heol Ros Las CF48: M Tydfil 4C 4
Heol Salem CF38: Chu V, Tont . . .4H 51
Heol Scwrfa CF48: M Tydfil 4C 4
Heol Seward CF38: Bed 3A 58
Heol Silyn CF44: Peny 3A 10
Heol S O Davies CF48: M Tydfil . . .6E 5
Heol Stici'l-y-Beddau
    CF72: L'sant 4H 57
Heol Syr William SA13: Croes . . .2F 65
Heol Tai Mawr CF48: M Tydfil 4B 4
Heol Tasker CF46: Nels 4D 34
Heol Teifionydd CF43: P'rhys 5E 31
Heol-Tewdwr SA13: Croes 1F 65
Heol Tir Coch CF38: E Isaf 2G 59
Heol Tir Gwaidd CF43: P'rhys 4E 31
Heol Ton CF39: T'fail 1D 48
Heol Trane CF39: T'fail 1C 48
Heol Treferig CF38: Bed 1C 58
Heol Trewillliam CF38: Bed 1C 58
Heol Twyn Du CF48: M Tydfil 4B 4
Heol Ty Aberaman CF44: A'man . .5F 15
Heol Ty Gwyn CF34: Maesteg 3B 66
Heol-Ty-Gwyn Ind. Est.
    CF34: Maesteg 3A 66
Heol Tyle-Du CF42: Treo 6H 21
Heol Tyllwyd CF39: T'fail 5A 44
Heol Ty Maen CF37: Up Bo 3D 52
Heol Tynant CF32: L'nor 3E 71
Heoltyn Ton CF32: L'nor 4D 70
Heol Tyn-y-Waun
    CF34: Pont R 3F 67
Heol Tywith CF34: Nantyff 2C 66
Heol Uchaf CF44: Peny 3G 9
    (off Perthlwyd)
    CF46: Nels 4F 35
Heol Uchel CF44: Hirw 1D 8
Heol Undeb CF38: Bed 1B 58
Heol Waun CF39: T'fail 1C 48
Heol-Wil-Hopcyn
    CF34: Pont R 3F 67
Heol-y-Beddau CF38: Bed 6C 50
Heol-y-Beila CF72: L'sant 4H 57
Heol-y-Bryn CF34: Pont R 3F 67
    CF37: R'fln 1H 53
    CF39: Hend 6D 42
    CF44: Rhig 5A 8
    CF72: P'clun 2G 61
Heol-y-Bryniau CF48: Pant 6F 7
Heol-y-Bwnsi CF15: N'grw 2D 52
    CF37: Up Bo 2D 52
Heol-y-Cae CF48: Cefn C 3D 4
Heol-y-Castell CF48: Pant 6F 7
Heol y Clun CF38: Bed 1B 58
Heol y Coed CF15: N'grw 5G 53
Heol y Coed CF38: Bed 1B 58
Heol y Coed CF72: P'clun 1F 61
Heol y Coed SA13: G'cwg 1B 64
Heol-y-Dderwen CF15: N'grw 5H 53
Heol-y-De CF44: Rhig 5A 8
Heol-y-Deri CF37: P'prdd 1C 46
Heol y Derw CF39: Evan 4B 42
Heol-y-Deryn SA13: G'cwg 1B 64
Heol-y-Fedw SA13: Croes 1F 65
Heol-y-Fedwen CF32: N moel 1H 69
    CF38: Tont 3A 52
Heol-y-Felin CF32: L'nor 2B 70
Heol-y-Felin CF72: P'clun 2E 61
Heol-y-Ffynnon CF38: E Isaf 1H 59
Heol-Y-Ffynon CF43: P'rhys 5E 31
Heol-y-Foel CF38: Llan F 6F 51
Heol y Fro CF38: Chu V 4G 51
Heol y Gamlas CF15: N'grw 4E 53
Heol-y-Gelli CF44: A'man 5D 14
Heol y Glyn CF39: T'fail 6A 44
    CF46: T'harris 1C 34
Heol y Goedwig CF38: Chu V 5G 51
Heol-y-Gors CF15: N'grw 5H 53
Heol y Graig CF43: P'rhys 5E 31
    CF44: Rhig 5A 8
    CF72: L'sant 4E 57
Heol-y-Grug CF39: Hend 6D 42
Heol y Gyfraith CF72: T Grn 5G 57
Heol-y-Llwyni CF34: Maesteg 4E 67
Heol-y-Maes CF38: Llan F 6F 51
Heol-y-Mynach CF37: Y'bwl 4A 32
Heol-y-Mynydd CF39: Hend 6D 42
    CF41: Ystrad 4A 30
    CF44: A'dare 2B 14
    CF48: Cefn C 2B 4
    SA13: G'cwg 1A 64
Heol y Nant CF34: Maesteg 5F 67
Heol y Onnen CF72: L'harry 4B 60
Heol-y-Parc CF38: E Isaf 5F 65
    CF39: Evan 4B 42
    CF44: A'dare 6G 11

Heol-y-Plwyf CF37: Y'bwl 5B 32
Heol y Pwll CF15: N'grw 5F 53
Heol yr Afon SA13: G'cwg 2A 64
Heol-yr-Haul CF72: Groes F 2E 63
Heol yr Odyn CF15: N'grw 5F 53
Heol yr Orsaf CF72: P'clun 2E 61
Heol-yr-Ysgol CF34: Pont R 3F 67
Heol-y-Sarn CF72: L'sant 3H 57
Heol Ysgawen CF72: L'harry 4B 60
Heol y Twyn CF39: Ynys 6H 31
Heol y Twyn CF44: C'dare 5A 10
Heol-y-Waun CF43: P'rhys 4E 31
Herbert St. CF32: B'grw 1A 68
    CF42: Treh 1D 28
    CF42: Treo 1D 28
    CF44: A'dare 2C 14
    CF45: A'non 5G 33
Heritage Ct. CF47: M Tydfil 4G 5
Hermon Cl. CF48: Dowl 3A 6
Hermon Rd. CF34: Caerau 4C 64
Hermon St. CF42: Treo 1E 29
Heulwen Cl. CF48: Pant 1A 6
Hibiscus Ct. CF38: Llan F 2E 59
Hickman St. CF48: P'bach 5E 13
High Cl. CF46: Nels 4E 35
Highdale Cl. CF72: L'sant 5A 58
Highfield CF43: Fern 5F 23
Highfield Cl. CF38: Tont 4A 52
Highfield Ind. Est. CF43: Fern 5G 23
Highfield Ter. CF37: P'prdd 2D 46
Highland Cl. CF47: M Tydfil 1C 12
Highland Pl. CF32: Ogm V 6G 69
    CF44: A'dare 2B 14
Highlands CF39: T'fail 5B 44
Highlands Cl. CF39: T'fail 5A 44
Highland Vw. CF47: M Tydfil 1C 12
High Row CF45: M Ash 6C 16
High St. CF32: Ogm V 6G 69
    CF32: P'mer 4B 68
    CF34: Maesteg, Nantyff 2C 66
    CF37: P'prdd 3E 47
    CF37: Y'bwl 6B 32
    CF39: Gilf G 2C 42
    CF39: Porth 2C 44
    CF39: T'fail 6A 44
    CF40: T'pandy 3B 36
    CF42: Treo 1D 28
    CF43: Fern 1D 30
    CF44: A'man 1C 14
    CF44: Hirw 1D 8
    CF45: M Ash 2C 24
    CF46: B'nog 4E 19
    CF46: Nels 3D 34
    CF46: T'lewis 5G 27
    CF47: M Tydfil 6F 5
        (not continuous)
    CF48: A'naid 5D 12
    CF48: Dowl 3A 6
    CF72: L'sant 4H 57
    CF72: P'clun 3D 60
    SA13: Aberg 6G 65
High Trees CF48: Tre'han 1D 4
High Vw. Way CF37: Glyn 4F 41
Hilda St. CF37: T'rest 6G 47
Hillbrook Cl. CF44: A'man 4D 14
Hillcrest CF47: M Tydfil 3H 5
    CF72: B'nna 4E 55
        (not continuous)
Hillcrest Av. CF44: A'man 4D 14
Hillcrest Dr. CF39: Porth 1D 44
Hillcrest Vw. CF43: Maer 5E 23
Hillside SA13: Croes 2F 65
Hillside Bungs.
Hillside Cl. CF40: L'nypia 2D 36
Hillside Cl. CF48: A'fan 6A 18
Hillside Dr. CF38: Llan F 1E 59
Hillside St. CF41: Pentre 2F 29
Hillside Ter. CF32: Lew 3G 71
    CF37: P'prdd 1E 47
    CF39: Ynys 1B 38
    CF40: T'pandy 2D 36
    CF41: Gelli 5H 29
Hillside Vw. CF37: P'prdd 1D 46
Hill St. CF32: N moel 2H 69
    CF32: Ogm V 5G 69
    CF34: Nantyff 1C 66
    CF39: Gilf G 6C 42
    CF40: P'graig 5F 37
    CF42: Treh 3D 20
    CF44: Maer 4C 22
    CF44: A'man 6F 33
    CF45: A'non 6F 33
Hilltop Av. CF37: C'fydd 6H 41
Hilltop Cl. CF46: T'harris 1A 34

Hilltop Cres. CF37: P'prdd 2G 47
Hill Vw. CF32: P'mer 3A 68
    CF38: Bed 1C 58
Hill Vw. Ter. CF48: M Vale 2B 26
Hiraethog Rd. CF37: Up Bo 2D 52
HIRWAUN 1D 8
    CF44: Hirw 3C 8
Hirwaun Ind. Est.
    CF44: Hirw 3C 8
Hirwaun Pl. CF43: Tylor 3G 31
Hirwaun Rd. CF44: A'dare 5B 10
    CF44: Hirw, Peny 2E 9
Hirwaun Ter. CF47: M Tydfil 4G 5
Hodges St. CF47: M Tydfil 3H 5
Hoel Gellilodra CF32: L'nor 4D 70
Hoel-y-Wern CF46: Nels 3F 35
Holborn Ter. CF40: T'pandy 4F 37
Holbrook Cl. CF42: Treo 6H 21
Holford St. CF44: A'man 3E 15
    CF48: Cefn C 3C 4
Holford Ter. CF44: C'dare 6A 10
Hollies, The CF46: T'harris 2C 34
    CF48: H'rrig 6D 4
        (off Heolgerrig)
    CF72: P'clun 3E 61
Hollybush Cl. CF38: Tont 4A 52
Hollybush Gro. CF39: Porth 6E 39
Hollybush Ter. CF38: Tont 4A 52
Hollybush Vs.
    CF38: Chu V, Tont 4H 51
Holly Dr. CF44: C'dare 6A 10
Holly La. CF37: P'prdd 1G 47
Holly Rd. CF72: L'harry 4A 60
Holly Row CF45: M Ash 5E 25
Holly St. CF37: R'fln 2G 53
    CF39: Gilf G 6B 42
Holly Ter. CF48: T'rhiw 1H 17
Holly Way CF47: M Tydfil 3F 5
Holyrood Ter. CF40: L'nypia 2E 37
Holywell Rd. CF38: Tont 3A 52
Homerton St. CF45: M Ash 1D 32
Homfray St. CF34: Nantyff 1C 66
Honeysuckle Cl.
    CF47: M Tydfil 2E 5
Hopkins Cl. CF48: A'naid 5D 12
        (off Chapel St.)
HOPKINSTOWN 2C 46
Hopkinstown Rd.
    CF37: P'prdd 1B 46
Hopkin St. CF42: Treh 4E 21
Horeb Cl. CF47: M Tydfil 4H 5
Horeb St. CF42: Treo 1D 28
    CF48: H'rrig 6B 4
Horeb Ter. CF44: L'coed 2C 10
Hornbeam Cl.
    CF47: M Tydfil 1F 5
Hospital Rd. CF37: P'prdd 2G 47
Houlson St. CF48: Dowl 2B 6
Howard St. CF40: T'pandy 3A 36
    CF42: Treo 1D 28
Howell Cl. CF48: M Tydfil 5E 5
Howells Row CF44: A'man 6A 10
    CF44: C'dare 6A 10
Howell St. CF37: C'fydd 4H 41
Hughes St. CF40: P'graig 4F 37
    CF45: M Ash 4E 25
Humphreys Ter.
    CF34: Caerau 5C 64
Hurford Cres. CF37: P'prdd 2D 46
Hurford St. CF37: P'prdd 3C 46
Hurst Gro. CF44: A'dare 6F 11
Hylton Ter. CF46: B'nog 4E 19

I

Iestyn St. CF44: A'dare 5C 10
Ifor St. CF45: M Ash 3D 24
Ifor Ter. CF35: B'mll 4H 71
Ilan Av. CF37: R'fln 5H 47
Illtyd St. CF37: P'prdd 4D 46
    CF42: Treo 1D 28
Imperial Cl. CF45: A'non 5G 33
Incline Rd. CF44: C'bach 2H 15
Incline Side CF48: P'bach 1F 13
INCLINE TOP 5H 5
Industrial Ter. CF44: T'rhiw 2A 18
Insole Ter. CF44: A'man 1H 57
Institute Pl. CF40: T'pandy 2E 37
Institute Rd. CF40: T'pandy 2E 45
Institute St. CF43: Maer 4C 22
Inverleith Ter. CF40: L'nypia 2E 37
Investiture Pl. CF39: T'fail 5B 44
Irene St. CF45: M Ash 5E 25
Irfon St. CF43: Fern 1D 30
Ironworks Rd. CF44: Hirw 1D 8
Isfryn Ind. Est. CF35: B'mll 5H 71
Islwyn Ter. CF39: Porth 5B 38
Is y Coed CF43: Maer 5E 23
Ivor Pk. CF72: P'clun 3E 61

Ivor St. CF32: P'mer 4B 68
    CF34: Maesteg 5C 66
    CF37: P'prdd 1H 45
    CF41: Ystrad 4B 30
    CF48: Dowl 3B 6
Ivor Ter. CF48: Dowl 2A 6
Ivy Cl. CF47: M Tydfil 4G 5
        (off Chase Vw.)
Ivy Ter. CF37: P'prdd 1C 46

J

James Pl. CF37: T'rest 4G 47
James Rd. CF32: B'grw 1A 68
James St. CF37: T'rest 4G 47
    CF40: P'graig 5G 37
    CF42: Treo 1E 29
    CF43: Maer 3C 22
    CF44: A'man 5E 15
    CF44: C'dare 6A 10
    CF45: M Ash 4E 25
    CF47: M Tydfil 1C 12
James Ter. CF39: Ynys 4C 38
Janet St. CF37: R'fln 6H 47
Japonica Dr. CF48: Dowl 3C 6
Jasmine Cl. CF47: M Tydfil 2E 5
Jeffrey St. CF45: M Ash 2D 24
Jenkins Pl. CF47: M Tydfil 1C 12
        (off Queen's Rd.)
Jenkins St. CF37: P'prdd 2C 46
    CF44: A'dare 2C 14
Jenkins Ter.
    CF34: Maesteg 1E 67
    SA13: Aberg 6G 65
Jenkin St. CF39: Porth 6D 38
    CF44: A'boi 6G 15
    CF45: A'non 4H 33
Jersey Rd. SA13: B'gnfi 5F 65
Jestyn St. CF39: Porth 5C 38
Job's La. CF48: Cefn C 3B 4
John Pl. CF37: T'rest 5G 47
Johnson Pk. CF44: Hirw 2E 9
John St. CF32: N moel 2H 69
    CF34: Nantyff 2B 66
    CF37: T'rest 5G 47
    CF39: Porth 6D 38
    CF39: Ynys 3D 38
    CF41: Pentre 2F 29
    CF42: Treh 4E 21
    CF44: A'boi 6G 15
    CF44: A'dare 2C 14
    CF44: Hirw 1E 9
    CF45: M Ash 3F 25
    CF46: T'harris 1B 34
    CF47: M Tydfil 6F 5
Jones Pl. CF37: P'prdd 1G 47
Jones St. CF37: C'fydd 3H 41
    CF40: T'pandy 3C 36
    CF42: Treo 5F 21
    CF45: M Ash 4E 25
    CF48: Dowl 2B 6
Jones Ter. CF47: M Tydfil 6H 5
    CF48: H'rrig 6B 4
Joseph Parry's Ironwoker's Cottage
    . . . . .5E 4
        (off Chapel Row)
Jowett St. CF47: M Tydfil 1D 12
Jubilee Rd. CF44: A'man 5E 15
Jubilee St. CF72: L'haran 5F 55
Julian's Cl. CF82: G'gaer 1H 38
Junction Ind. Est.
    CF72: P'clun 2E 61

K

Katie St. CF32: B'grw 1A 68
Keir Hardie Rd.
    CF34: Maesteg 5B 66
Keith St. CF44: A'dare 3F 31
Kendal Cl. CF44: C'bach 2F 15
Kennard St. CF41: Ton P 4F 29
Kennedy Cl. CF38: Bed 6C 50
Kenry St. CF39: Evan 3B 42
    CF40: T'pandy 3E 37
    CF42: Treo 5F 21
Kensington Dr. CF39: Porth 1E 45
Kenwyn Ter. CF37: P'prdd 6F 41
Kevin Ryan Cl.
    CF48: M Tydfil 6E 4
        (off Heol S O Davies)
Kidwelly Gro. CF48: M Tydfil 1C 6
Kidz Playground 2C 5
Kiln Ct. CF44: A'man 3E 15
Kimberley Pl. CF48: T'rhiw 1A 18
        (off Pembroke St.)
Kimberley Way CF39: Porth 1D 44

ngcraft St. CF45: M Ash 3C 24
ng Edward St. CF32: P'mer ...1A 68
ng Edward Vs.
  CF47: M Tydfil 5F 5
  (off King Edward St.)
ngs Acre CF38: Llan F 1E 59
ngsbury Ct. CF44: L'coed 3C 10
ngsbury Pl. CF44: C'man 1H 23
  CF44: L'coed 3C 10
ngsland Ter. CF37: T'rest 4G 47
ngsley Pl. CF47: M Tydfil 6H 5
rkhouse St. CF37: P'prdd 3D 46
ights Ter. CF45: A'non 4H 33
ight St. CF45: M Ash 2D 24
oll Ter. CF40: T'pandy 2D 36

L

burnam La. CF48: Tre'han 1D 4
burnam Cl. CF47: M Tydfil 3F 5
burnam Ct. CF37: R'fln 2H 53
  (off Poplar Rd.)
burnam Dr. CF44: C'dare 6A 10
burnam Ter. CF37: R'fln 2H 53
  CF48: T'rhiw 1H 17
dysmith Pl. CF48: T'rhiw 1A 18
  (off Archer St.)
keside CF44: C'dare 6A 10
keside Gdns.
  CF48: M Tydfil 2C 4
ke St. CF43: Fern 1D 30
mbert Ter. CF44: A'dare 1B 14
ncaster Dr. CF38: Llan F 6F 51
ncaster Ter. CF47: M Tydfil ...5F 5
  (off Lancaster St.)
ncaster Vs. CF47: M Tydfil ...5F 5
  (off Lancaster St.)
ngland Cl. CF44: Hirw 2D 8
npark Rd. CF37: P'prdd 1E 47
nsbury Cl. CF34: Maesteg 6B 66
nsbury Cres.
  CF34: Maesteg 6B 66
nsbury Rd. CF48: M Tydfil 5C 4
nsdale Dr. CF38: Tont 4A 52
ntrisant Ind. Est.
  CF72: L'sant 1F 57
nwern Rd. CF37: P'prdd 3D 46
nwood Rd. CF37: P'prdd 1D 46
n-y-Parc CF47: M Tydfil 3E 35
rch Cl. CF47: M Tydfil 2F 5
rch Dr. CF72: C Inn 5B 58
rkfield Av. CF44: C'bach 2F 15
undry Rd. CF37: P'prdd 2D 46
ura St. CF37: T'rest 3F 47
urel Av. CF37: R'fln 1B 52
urel Cl. CF44: C'dare 6B 10
ureldene CF72: L'harry 6B 60
vender Rd. CF47: M Tydfil 2D 4
wn Ter. CF37: T'rest 4G 47
  CF47: M Tydfil 5F 5
  (off Quarry Row)
wrence Av. CF44: Peny 3G 9
e St. CF37: P'prdd 2D 46
gion's Way CF82: G'gaer 1H 35
gh Ter. CF46: T'harris 2A 34
ghton Rees Cl. CF37: Y'bwl ...5B 32
sure Cen. Rdbt.
  CF48: M Tydfil 2B 12
slie Ter. CF39: Porth 6D 38
wis Pl. CF37: P'prdd 1C 44
wis Rd. CF34: Maesteg 4D 66
wis Sq. CF48: A'naid 1A 12
wis St. CF37: P'prdd 1G 45
  (Bethesda St.)
  CF37: P'prdd 3E 47
  (Rickards St.)
  CF37: T'rest 4G 47

Lewis St. CF38: Chu V 5G 51
  CF40: P'graig 6G 37
  CF41: Pentre 3F 29
  CF44: A'man 3E 15
  CF45: M Ash 1D 24
  CF46: B'nog 3E 19
  CF72: P'clun 1F 61
Lewis Ter. CF37: P'prdd 1E 47
  CF39: Porth 6E 39
  CF39: Ynys 1B 38
  CF47: M Tydfil 4H 5
  CF48: H'rrig 6D 4
LEWISTOWN 2H 71
Leyshon St. CF37: P'prdd 4D 46
Leyshon Ter. CF39: Porth 1E 45
Libanus St. CF48: Dowl 2A 6
Library Cl. CF37: R'fln 2G 53
  CF41: Pentre 3G 29
Library Rd. CF34: Caerau 4D 64
  CF37: P'prdd 2E 47
  CF40: P'graig 5F 37
Lilac Dr. CF38: Llan F 1E 59
Lime Gro. CF47: M Tydfil 3F 5
Limeslade Cl. CF44: Hirw 2D 8
Lime St. CF37: R'fln 1D 30
  CF43: Fern 1D 30
Lincoln St. CF39: Porth 1C 44
Lincoln Ter. CF47: M Tydfil ...1C 12
Linde Ind. Pk. CF48: P'bach ...6F 13
Linden Ct. CF72: L'harry 6B 60
Linden Cres. CF44: A'dare 1A 14
Linden Way CF48: Tre'han 1D 4
Lionel Ter. CF37: R'fln 6H 47
Lisburn Ri. CF44: Hirw 1D 8
Little Theatre, The 1B 14
Little Wind St. CF44: A'dare ...2C 14
Lit. Woods CF45: A'non 5F 33
Llanbad CF72: B'nna 4D 54
Llanberis Cl. CF38: Tont 3G 51
Llanbradach St.
  CF37: P'prdd 2D 46
Llanbryn Gdns. CF72: B'nna ...4E 55
Llancaiach Cl. CF46: Nels 2C 35
Llancaiach-Fawr 1E 35
Llancaiach Vw. CF46: Nels 3E 35
Llandaff Way CF39: Porth 3C 44
Llanddewi St. CF44: A'man 4E 15
Llandraw Woods
  CF37: P'prdd 2C 46
Llanerch Cl. CF38: Llan F 4F 51
Llanerch Vineyard 5A 62
LLANFABON 6D 34
Llanfabon Ct. CF37: C'fydd ...5H 41
Llanfabon Rd. CF46: Nels 4G 34
Llanfair Hill CF41: Gelli 5G 29
Llanfair Rd. CF37: P'prdd 3D 46
  CF40: P'graig 5G 37
Llanfoist St. CF41: Ton P 4G 29
LLANGEINOR 4D 70
Llangeinor Rd.
  CF32: B'myn, L'nor 6C 70
Llangeinor Swimming Pool ...3D 70
Llangeinor Ter. CF32: Lew 2H 71
Llangorse Rd. CF44: C'bach ...2G 15
LLANHARAN 4G 55
Llanharren Ter. CF32: N moel ...2H 68
LLANHARRY 6B 60
Llanharry Rd.
  CF72: L'haran, L'harry 6F 55
  CF72: L'harry, P'clun 3B 60
LLANILLTUD FAERDREF 6E 51
Llanofer Rd. SA13: Croes 2F 63
Llanover Rd. CF37: P'prdd 1F 47
Llanover St. CF37: P'prdd 2F 47
Llanrhyd CF48: T'rhiw 2H 17
  (off Diana St.)
Llan Rd. CF34: Pont R 3E 67
LLANTRISANT 3H 57
Llantrisant Bus. Pk.
  CF72: L'sant 1G 57
Llantrisant Castle 4H 57
Llantrisant Leisure Cen. 4H 57
Llantrisant Rd. CF5: P'rch 3F 63
  CF37: P'cae, P'prdd 1C 50
  CF38: Bed 3D 58
  (Carlton Cres.)
  CF38: Bed 3D 58
  (Square, The)
  CF39: T'fail 4B 44
  CF72: Bed, Chu V, Llan F ...3C 58
  CF72: C Inn 4B 58
  CF72: Groes F 2B 62
  CF72: L'sant 2F 61
LLANTWIT FARDRE 6E 51
Llantwit Fardre Sports Cen. ...4H 51
Llantwit Fardre Sports Club ...4H 51
Llantwit Rd.
  CF34: Tont, T'rest 5G 47
Llanwonno Cl. CF37: P'prdd ...1C 46
  (not continuous)

Llanwonno Rd. CF37: P'prdd ...1C 46
  CF39: Ynys 4C 38
  CF43: Tylor 5G 31
  CF44: C'man 6A 14
  CF45: M Ash 3D 24
Lle Canol SA13: G'cwg 2A 64
Lle Hyfryd CF44: L'coed 3C 10
Llest Ter. CF38: Llan F 1E 59
Llety'r Bugail
  CF34: Maesteg 2E 67
Llewellyn Pl. CF41: Pentre 2E 29
  (off Llewellyn St.)
Llewellyn St. CF39: Gilf G 6B 42
  CF40: P'graig 5E 37
  CF41: Pentre 2F 29
  CF42: B'cwm 3A 20
  CF43: P'gwth 6F 31
  CF44: A'dare 5C 10
  CF47: M Tydfil 5F 5
Llewellyn Ter. CF37: Y'bwl ...6B 32
  CF40: T'pandy 2E 36
Llewelyn Ct. CF44: A'dare 5B 10
Llewelyn St. CF37: P'prdd 1C 46
  CF48: Dowl 2A 6
Llewyncelyn Ter. CF46: Nels ...4D 34
Lloyds Cl. CF47: M Tydfil 4H 5
  (off Lloyds Ter.)
Lloyd's Ter SA13: G'mmer 1E 65
Lloyds Ter. CF47: M Tydfil 4H 5
Lloyd St. CF34: Caerau 4D 64
  CF41: Gelli 4H 29
Liswen CF44: Peny 3H 9
Llwydarth Cotts.
  CF34: Maesteg 6D 66
Llwydarth Rd. CF34: Maesteg ...6D 66
LLWYDCOED 3C 10
Llwydcoed Cl. CF44: L'coed ...4C 10
Llwydcoed Rd. CF44: L'coed ...3C 10
Llwyfen St. CF47: M Tydfil 5E 5
Llwyn Bedw CF45: M Ash 5B 16
Llwyn Berry CF48: M Tydfil ...6E 5
Llwynbrain Ter. CF72: L'harry ...4G 55
LLWYNCELYN 6D 38
Llwyncelyn Cl. CF32: L'nor ...4B 70
Llwyncelyn Ct. CF48: M Tydfil ...6E 5
Llwyncelyn Ind. Est.
  CF39: Porth 6E 39
Llwyncelyn La. CF48: M Tydfil ...1A 12
Llwyncelyn Park CF39: Porth ...6E 39
Llwyncelyn Rd. CF39: Porth ...6E 39
Llwyncrwn CF38: Bed 1B 58
Llwynderi CF44: Peny 3H 9
Llwynder Av. CF34: Maesteg ...4E 67
Llwyn Dic Penderyn
  CF47: M Tydfil 5E 5
Llwynfen Rd. CF72: P'clun 2F 61
Llwyn Gwyn CF72: L'harry 6B 60
Llwynmadoc St. CF37: P'prdd ...2D 46
Llwynonn CF72: P'clun 1E 61
Llwynpennau Cotts.
  CF72: Groes F 3D 62
LLWYNYPIA 1F 37
Llwynypia Rd. CF40: L'nypia ...2E 37
Llwynypia Station (Rail) 1F 37
Llwynypia Ter. CF40: L'nypia ...1E 37
  (off Llwynypia Rd.)
Llwynyreds Cl. CF47: M Tydfil ...6H 5
Llwyn-yr-Eos CF46: Nels 3E 35
Llyn Cres. CF43: Fern 1D 30
Llyn Enterprise Cen.
  CF34: Maesteg 3A 66
Llynfi La. CF34: Maesteg 4C 66
Llynfi Rd. CF34: Maesteg 4C 66
Llys Alaw CF40: T'law 4H 37
Llys Bryn Felin CF39: T'fail ...6H 43
Llys Caradog CF15: Cre 2F 63
Llys Catwg CF72: T Grn 5G 57
Llys Celin CF38: Tont 4A 52
  (off Cedar Cres.)
Llys Coed CF37: Glyn 3F 41
Llys Coed Derw CF38: Llan F ...5F 51
Llys Corrwg CF37: R'fln 2H 53
Llys Cynon CF44: Hirw 2E 9
Llys Deri CF72: L'harry 6B 60
Llys Derwen CF37: Glyn 3F 41
Llys Dewi CF15: Cre 2G 63
Llys Dyfodwg CF15: Cre 3G 63
Llys Dyfrig CF15: Cre 3F 63
Llys Garth CF38: Llan F 4F 51
Llys Glanrhondda CF42: Treo ...2F 29
Llys Gwern Ifor CF45: M Ash ...3D 24
Llys Gwyn CF34: Maesteg 5C 66
Llys Gwynno CF15: Cre 3F 63
Llys Illtyd CF15: Cre 2F 63
Llys Llywelyn CF38: Llan F ...5F 51
Llys Maelwg CF72: T Grn 5G 57

Llys Siloh CF41: Pentre 2F 29
  (off Llewellyn St.)
Llys Teilo CF15: Cre 3G 63
  CF72: T Grn 5G 57
Llys Tr Efail CF39: T'fail 6A 44
Llys Tudful CF15: Cre 2G 63
Llys Ty Gwyn CF37: P'prdd ...1G 47
Llys Tylcha Fawr CF39: T'fail ...6A 44
Llys y Fran CF38: Chu V 5G 51
Llys-yr-Onnen CF45: M Ash ...3D 24
Llywelyn St. CF32: Ogm V 5G 69
Lock St. CF45: A'non 4H 33
Lock Ter. CF37: P'prdd 1F 47
London St. CF45: M Ash 2D 24
Lon Elai CF72: P'clun 1F 61
Longacre Cl. CF72: L'sant 5A 58
Longfield Cl. CF44: Hirw 2D 8
Longmeade Pk. CF44: Rhig 4A 8
Long Row CF37: T'rest 5G 47
  (off Park St.)
  CF43: Fern 5H 23
Lon Helygen CF37: Glyn 3F 41
Lon Heulog CF37: R'fln 1A 52
Lon Las Rd. CF44: L'coed 3B 10
Lon-y-Brynnau CF44: C'dare ...6A 10
Lon y Cadno CF38: Chu V 6G 51
Lon-y-Celyn CF46: Nels 3D 34
Lon-y-Dderwen CF46: Nels 3D 34
Lon-y-Felin CF45: M Ash 6B 16
Lon-y-Lwyn CF46: Nels 3D 34
Lon-y-Parc CF34: Caerau 3C 64
Lon-yr-Awel CF72: P'clun 1G 61
Lord St. CF44: A'man 3E 15
Lwr. Adare St. CF32: P'mer ...3A 68
Lwr. Alma Pl. CF41: Pentre ...2G 29
Lwr. Alma Ter. CF37: T'rest ...3F 47
Lwr. Bailey St. CF39: Ynys ...1C 38
Lwr. Church St. CF32: P'mer ...4B 68
Lowerdale Dr. CF72: L'sant ...5A 58
Lwr. Dunraven St.
  CF40: T'pandy 4F 37
Lwr. Edward St. CF47: M Tydfil ...5F 5
Lwr. Fforest Level
  CF45: M Ash 3E 25
Lwr. High St. CF47: M Tydfil ...1B 12
Lwr. Mt. Pleasant
  CF48: T'rhiw 2A 18
Lwr. Row CF48: Dowl 2B 6
Lwr. Station St. CF44: A'man ...4F 15
Lower St. CF44: A'man 4F 15
Lwr. Taff Vw. CF37: P'prdd ...6G 41
Lower Ter. CF42: Treo 2C 28
  CF43: Tylor 5G 31
Lwr. Thomas St. CF47: M Tydfil ...6G 5
Lwr. Union St. CF48: Dowl ...3A 6
Lwr. Vaynor Rd. CF48: Cefn C ...3C 4
Lowland Dr. CF38: Tont 4A 52
Low Row CF45: M Ash 6C 16
Lupin Cl. CF47: M Tydfil 2D 4
  (not continuous)
Luther La. CF47: M Tydfil 6H 5
Luther St. CF47: M Tydfil 1D 12
Luton St. CF42: Treo 1D 28
  CF43: Fern 5H 23
  (off Mountain Row)
Lyle St. CF45: M Ash 2C 24
Lyndhurst St. CF45: M Ash ...1D 24

M

Mace La. CF42: Treo 5F 21
MacGregor Row
  CF34: Maesteg 3C 66
Mackintosh Rd. CF37: P'prdd ...2F 47
Mackintosh St. CF48: A'fan ...6A 18
Mackintosh Ter. CF46: T'lewis ...1D 34
  (off Nant Gwyn)
Maddox St. CF40: T'pandy ...3G 36
Madeline St. CF41: Pentre ...2F 29
  CF43: P'gwth 6F 31
Madison Dr. CF44: Hirw 2D 8
  (off Tramway)
Madoc St. CF37: P'prdd 3E 47
Madog Cl. CF43: Tylor 3F 31
Maelgwyn Ter. CF44: A'dare ...1B 14
Maelog Cl. CF72: P'clun 1F 61
Maendy CF48: M Tydfil 5C 4
Maendy Pl. CF44: A'dare 1C 14
  (off Canon St.)
Maendy Rd.
  CF37: Chu V, P'cae, T'rest ...5D 46
  CF38: Chu V 1E 51
Maen Ganol CF46: T'lewis ...4H 27
Maen Gilfach CF46: T'lewis ...4H 27
MAERDY 4C 22
Maerdy Ct. CF43: Maer 4C 22
Maerdy Rd. CF43: Maer 4C 22
  CF44: A'man, A'dare 4A 14

Maerdy Rd. Ind. Est.—Mynydd Golwg

Maerdy Rd. Ind. Est.
CF43: Maer .5F 23
Maes Bedw CF39: Porth .1C 44
Maes Brynna CF44: C'dare .6A 10
Maes Cadwgan CF15: Cre .2G 63
Maes Cefn Mabley
CF72: L'sant .3H 57
Maes Coed Rd. CF37: P'prdd .3D 46
Maescynon CF44: Hirw .1E 9
Maesffynon Gro. CF44: A'man .3D 14
Maes Ganol CF37: R'fln .1C 52
Maesglas CF32: L'nor .5B 70
Maes Glas CF37: Glyn .3F 41
Maesgwyn CF34: Maesteg .5F 67
CF44: C'dare .5A 10
Maes Gwynne CF48: Cefn C .4D 4
Maeshyfryd CF44: C'bach .4H 15
Maes Maelwg CF38: Bed .1B 58
Maesmelyn CF44: C'dare .6A 10
Maes Sarn CF72: L'sant .3H 57
Maestaf St. CF48: P'bach .5E 13
MAESTEG .4C 66
Maesteg Business Cen.
CF34: Maesteg .3A 66
MAESTEG COMMUNITY HOSPITAL .3A 66
Maesteg Cres. CF38: Tont .4A 52
Maesteg Ewenny Road Station (Rail) .5D 66
Maesteg Gdns. CF38: Tont .4A 52
Maesteg Gro. CF38: Tont .4A 52
Maesteg Rd.
CF34: Maesteg, Pont R .1E 67
SA13: Croes, G'mmer .1E 65
Maesteg Row CF34: Maesteg .5D 66
Maesteg Sports Cen. .3B 66
Maesteg Station (Rail) .4C 66
Maesteg Swimming Pool .4C 66
Maestic Rd. SA13: G'mmer .1E 65
Maes Trane CF38: Bed .1C 58
Maes Trisant CF72: T Grn .5G 57
(not continuous)
Maes Uchaf CF37: R'fln .1C 52
Maes-y-Bedw CF46: B'nog .3D 18
Maes-y-Bryn CF39: T'fail .5A 44
MAESYCOED .3C 46
Maes-y-Coed CF44: C'dare .6A 10
Maes Y Coed CF46: T'lewis .1D 34
Maesycoed Rd.
CF37: P'prdd .2D 46
Maes-y-Dderwen CF15: Cre .3G 63
CF34: Nantyff .1C 66
Maes-y-Deri CF37: P'prdd .1C 46
CF44: A'man .5F 15
MAES-Y-DRE .6E 11
Maes y Felin CF37: R'fln .1C 52
Maes y Ffynnon *CF48: Dowl* .*3B 6*
(off Market St.)
Maes-y-Ffynnon La.
CF44: A'man, A'dare .3C 14
Maesyffynon Ter.
CF40: T'law .4G 37
MAES-Y-GARREG .3C 4
Maes-y-Gollen CF15: Cre .2G 63
Maes y Grug CF38: Chu V .4G 51
Maes-y-Nant CF15: Cre .2F 63
Maes-yr-Afon CF72: P'clun .3E 61
Maes-yr-Awel CF34: Caerau .3C 64
Maes yr Awel CF37: R'fln .1C 52
Maes yr Haf CF44: L'coed .3D 10
Maes-yr-Haf CF47: M Tydfil .6H 5
Maes yr Hafod CF15: Cre .2G 63
Maes yr Haul Cotts.
CF72: C Inn .*5A 58*
(off Taff Cotts.)
Maes-y-Rhedyn CF15: Cre .3G 63
Maes y Rhedyn CF43: Maer .5D 22
Maes-y-Rhedyn CF72: T Grn .5F 57
Maes yr Helig CF44: L'coed .3C 10
Maes-yr-Onen CF46: Nels .3D 34
Maes-yr-Onnen CF15: Cre .3G 63
Maes-y-Wennol CF72: P'clun .1H 61
Mafon Rd. CF46: Nels .4D 34
Magazine St. CF34: Caerau .5C 64
Magnolia Cl. CF39: Porth .6E 39
CF47: M Tydfil .2F 5
Magnolia Way CF38: Llan F .1E 59
Maiden St. CF34: Maesteg .6D 66
Main Av. CF37: N'grw, Up Bo .3D 52
CF44: Hirw .4C 8
Maindy Ct. CF38: Chu V .4G 51
Maindy Cres. CF41: Ton P .3F 29
Maindy Cft. CF41: Ton P .3F 29
Maindy Gro. CF41: Ton P .4F 29
Maindy Rd. CF41: Ton P .3F 29
Main Rd. CF38: Chu V, Tont .5G 51
CF45: A'non .2E 33
CF45: M Ash .1D 32
CF72: C Inn .5A 58
CF72: Groes F .2D 62
Malus Av. CF38: Llan F .2E 59
Manchester Pl. CF44: Hirw .2D 8
Mandeg CF46: T'lewis .1D 34
Mangoed CF44: Peny .3G 9
Manley Cl. CF39: T'fail .6A 44
Manorbier Cl. CF38: Tont .3H 51
Manor Chase CF38: Bed .2B 58
Manor Ct. CF38: Chu V .4G 51
Manor Hill CF72: P'clun .2H 61
Manor Pk. CF35: B'nna .5B 54
Mansfield Ter. CF47: M Tydfil .6A 6
Maple Cl. CF47: M Tydfil .3F 5
CF72: L'harry .6B 60
Maple Ct. CF39: T'fail .6B 44
Maple Cres. CF48: Tre'han .1D 4
Maple Dr. CF44: A'dare .6B 10
Maple St. CF37: R'fln .2G 53
Maple Ter. CF34: Maesteg .5C 66
Mardy CF72: L'sant .2E 57
Mardy Cl. CF47: M Tydfil .2D 12
Mardy St. CF47: M Tydfil .6A 6
Mardy Ter. *CF47: M Tydfil* .*2C 12*
(off Railway Ter.)
Margam St. CF34: Caerau .5D 64
SA13: G'mmer .1D 64
Margarets Cwrt *CF44: A'dare* .*2C 14*
(off Elizabeth St.)
Margaret St. CF37: P'prdd .1H 45
(Trehafod)
CF37: P'prdd .1B 46
(Troedrhiw-Trwyn)
CF41: Pentre .2F 29
CF42: Treh .3C 20
CF43: P'gwth .1A 38
CF44: A'boi .6H 15
CF44: A'dare .5C 10
Margaret St. CF44: A'man .5E 15
CF45: A'non .5G 33
CF47: M Tydfil .5E 5
Margaret ter. SA13: B'gnfi .6G 65
Marian St. CF32: B'grw .1A 68
CF40: T'pandy .3A 36
Marigold Cl. CF47: M Tydfil .2E 5
Maritime Ind. Est.
CF37: P'prdd .4C 46
Maritime St. CF37: P'prdd .3D 46
Maritime Ter. CF37: P'prdd .3D 46
Marjorie St. CF40: T'law .5H 37
Market Sq. *CF47: M Tydfil* .*6F 5*
(off Graham Way)
Market St. CF37: P'prdd .2E 47
CF44: A'dare .1C 14
CF48: Dowl .3B 6
Market, The CF37: P'prdd .2E 47
Marlborough Cl. CF38: Llan F .1F 59
Marshall Cres. CF47: M Tydfil .2H 5
Marshfield Ct. CF39: T'fail .6B 44
Marshfield Rd. CF43: Maer .5E 23
Martin Cl. CF48: H'rrig .6C 4
Martin Cres. CF39: T'fail .6A 44
Martins Cl. CF45: A'non .5G 33
Martins La. CF45: A'non .5G 33
Martin's Ter. CF45: A'non .5G 33
Mary St. CF37: C'fydd .4H 41
CF39: Porth .5D 38
CF42: Treh .4E 21
CF44: A'boi .6H 15
CF44: A'dare .2C 14
CF45: M Ash .3E 25
CF46: B'nog .4E 19
CF46: T'harris .1A 34
CF47: M Tydfil .1C 12
CF48: Dowl .3A 6
SA13: B'gnfi .5G 65
Masefield Way CF37: R'fln .1G 53
Masonic St. CF47: M Tydfil .6F 5
Mason St. CF44: A'man .4E 15
Matexa St. CF41: Ton P .4F 29
Matthews St. SA13: G'cwg .1B 64
Mattie, The CF42: Treo .2D 28
MAVRID WOODBURY .3H 63
Maxwell St. CF43: Fern .1D 30
Mayfield Pl. CF72: L'sant .5A 58
Mayfield Rd. CF37: P'prdd .1D 46
Maywood CF72: B'nna .4D 54
(not continuous)
Meadowbank Cl. CF44: C'bach .2F 15
Meadow Cl. CF39: T'fail .2C 48
CF45: M Ash .2B 24
CF72: L'haran .4F 55
Meadow Ct. CF47: M Tydfil .2D 12
Meadow Cres. CF38: Tont .4A 52
Meadow La. CF39: Gilf G .5B 42
CF44: Hirw .1C 8
Meadow Ri. CF72: B'nna .3E 55
Meadow St. CF32: Ogm V .6G 69
CF32: P'mer .4A 68
CF34: Maesteg .4C 66
CF37: T'rest .5G 47
CF39: Gilf G .5B 42
Meadow Vw. CF35: B'mll .5H 71
Meadow Wlk. CF41: Ystrad .4H 29
Meirion Pl. *CF48: H'rrig* .*6D 4*
(off Heolgerrig)
Meirion St. CF44: A'dare .6D 10
Meirios Valley Trekking Cen. .3G 55
Melbourne Ter. CF72: B'nna .4D 54
Melyn Fach *SA13: G'cwg* .*1B 64*
(off Melyn St.)
Melyn St. SA13: G'cwg .1B 64
Menai Av. SA13: Croes .2E 65
Menai Cl. CF38: Tont .3G 51
Menelaus Sq. *CF48: Dowl* .*3B 6*
(off Lwr. Union St.)
Merchant St. CF44: A'dare .2C 14
Merion St. CF40: P'graig .6G 37
Merlin Cl. *CF37: P'prdd* .*2D 46*
(off Pwll-Gwaun Rd.)
Merthyr Rd. CF37: P'prdd .2F 47
CF44: Hirw .2D 8
CF44: L'coed .3C 10
CF47: M Tydfil .4H 5
CF48: P'bach .3D 12
CF48: T'rhiw .1H 17
Merthyr St. CF72: P'clun .1F 61
MERTHYR TUDFUL .6F 5
MERTHYR TYDFIL .6F 5
Merthyr Tydfil F.C. (Penndarren Pk.) .5F 5
MERTHYR VALE .1B 26
Merthyr Vale Station (Rail) .2B 26
Merthy Tydfil Ind. Pk.
CF48: P'bach .6E 13
Mervyn St. CF37: R'fln .6H 47
CF48: A'fan .6A 18
Metcalfe St. CF34: Caerau .5C 64
Meyler St. CF39: T'fail .2D 48
Meyricks Row CF40: W'twn .2G 43
Meyrick Vs. CF47: M Tydfil .4F 5
Michael Sobell Sports Cen. .2D 14
Michael's Rd. CF42: B'cwm .3A 20
Middle Row CF43: Fern .5H 23
CF45: M Ash .6C 16
Middle St. CF37: P'prdd .1F 47
Middle Ter. CF43: Tylor .5G 31
Middleton St. SA13: B'gnfi .5G 65
Midway Pk. CF37: Up Bo .2D 52
Mikado St. CF40: P'graig .5F 37
Milbourne Cl. CF47: M Tydfil .2D 12
Milbourne St. CF40: P'graig .5G 37
CF45: M Ash .1D 32
Milbourne Ter.
CF47: M Tydfil .2D 12
Mildred Cl. CF38: Bed .6C 50
Mildred St. CF38: Bed .6C 50
Miles St. CF43: Maer .4C 22
CF47: M Tydfil .5F 5
Milford Cl. CF38: Tont .3H 51
Millers Row CF46: T'harris .2A 34
Millfield CF46: T'harris .1C 34
CF72: P'clun .2E 61
Mill La. CF72: L'haran .4G 55
Mill Rd. CF37: Y'bwl .4A 32
CF45: M Ash .1B 24
Mill Row CF72: L'haran .4G 55
Mill St. CF34: Maesteg .1E 67
CF37: P'prdd .2D 46
(not continuous)
CF39: T'fail .1D 48
CF41: Ystrad .5B 30
CF44: A'dare .5C 10
CF46: T'harris .1B 34
Mill Vw. CF34: Maesteg .6F 67
Milton Cl. CF38: Bed .1C 58
Milton Pl. CF47: M Tydfil .1C 12
Milton St.
CF44: A'man, C'man .5A 14
Milton Ter. *CF47: M Tydfil* .*1C 12*
(off Windsor Ter.)
Miners Row CF44: L'coed .3C 10
Minffrwd Rd.
CF35: P'coed, Rhiwc .5A 54
Min y Coed CF32: Lew .2H 71
MISKIN
CF45 .4E 25
CF72 .3H 61
Miskin Cres. CF72: P'clun .2H 61
Miskin Rd. CF40: T'law .3F 37
CF45: M Ash .3D 24
Miskin St. CF42: Treh .3C 20
Miskin Ter. CF45: M Ash .3E 25
Mission Rd. CF34: Maesteg .6E 67
Mitchell Cres. CF47: M Tydfil .2H 5
Mitchell Ter.
CF37: P'prdd, T'rest .3F 47
Model House Craft & Design Cen. .*4H 57*
(off Bull Ring)
Moel Gilau CF32: L'nor .2A 70
Moira Ter. CF32: Ogm V .5G 69
Mona Pl. CF43: Maer .3C 2
Monica St. CF34: Maesteg .5D 6
Monk St. CF44: A'dare .2B 1
Monmouth Cl. CF38: Tont .3H 5
Monmouth Dr. CF48: M Tydfil .5A
Monmouth St. CF45: M Ash .6F 2
Montana Pk. .2E
Monumental Ter. *CF48: Cefn C* .*2C*
(off St John's C
Moorland Cl. CF44: Hirw .2F
Moorland Cres. CF38: Bed .6C 5
Moorland Hgts.
CF37: P'prdd .3G 4
Morgan Ct. CF40: L'nypia .6D 3
Morgan Jones Sq.
CF48: T'rhiw .2A 1
Morgannwg St. CF37: P'prdd .1H 4
Morgan Row CF44: C'bach .3H 1
Morgans Ct. *CF44: A'dare* .*5C 1*
(off Llewellyn S
Morgan St. CF37: P'prdd .2E 4
CF39: Porth .6D 3
CF44: A'dare .1B 1
CF45: M Ash .4E 2
CF47: M Tydfil .5F
CF48: Dowl .3A
Morgan Ter. CF39: Porth .6D 3
CF42: Treo .2B 2
MORGAN TOWN .5F
Moriah Pl. CF44: L'coed .3C 1
Moriah St. CF46: B'nog .4E 1
CF47: M Tydfil .5F
Morien Cres. CF37: R'fln .5H 4
Morlais Cl. CF48: M Tydfil .4A
Morlais St. CF48: Dowl .2A
CF48: P'bach .5E 1
Morrell St. CF47: M Tydfil .1C 1
Morris Av. CF45: M Ash .5F 2
Morris St. CF34: Maesteg .4C 6
CF42: Treh .4E 2
CF44: C'man .5A 1
Morris Ter. CF43: Fern .6G 2
Morton Ter. CF40: T'pandy .2A 3
Moss Pl. CF44: A'dare .5F 1
Moss Row CF44: A'dare .5F 1
Mostyn Cl. CF72: B'nna .4D 5
Mound Rd. CF37: P'prdd .3C 4
MOUNTAIN ASH .3D 2
MOUNTAIN ASH HOSPITAL .1D 2
Mountain Ash Rd.
CF45: A'non .5F 3
Mountain Ash Station (Rail) .2D 2
MOUNTAIN HARE .6H
Mountain Riwy CF48: Pant .5E
Mountain Rd.
CF40: P'graig, W'twn .6G 3
CF44: C'man .5A 1
Mountain Row CF43: Fern .5H 2
Mountain Vw. CF37: R'fln .5H 4
CF39: T'fail .1A 4
CF40: L'nypia .1F 3
CF42: Treh .3C 2
Mountain Way CF46: Nels .5F 3
Mt. Hill Cl. CF44: A'man .4E 1
Mt. Hill St. CF44: A'man .4E 1
Mt. Libanus St. CF42: Treh .4E 2
MOUNT PLEASANT .4C 3
Mt. Pleasant CF32: B'grw .1A 6
Mt. Pleasant CF37: P'prdd .1G 4
CF44: A'dare .5C 1
Mt. Pleasant CF44: Hirw .1C
Mt. Pleasant CF46: B'nog .4E 1
Mt. Pleasant CF48: H'rrig .6C
CF48: M Vale .3B 2
CF48: T'rhiw .2A 1
Mt. Pleasant Pl. CF45: M Ash .4E 2
Mt. Pleasant Rd.CF39: Porth .5C 3
Mt. Pleasant St. CF44: A'dare .5C 1
CF48: Dowl .3A
Mt. Pleasant Ter.
CF45: M Ash .4E 2
Mount St. CF44: A'man .4E 1
CF47: M Tydfil .5F
Mount Ter. CF47: M Tydfil .5F
Mount Vw. CF47: P'bach .6A
CF48: M Vale .3B 2
(not continuou
Moy Rd. CF48: A'fan .6H 1
Mr Speakers Way
CF40: P'graig .5G 3
Mulberry Cl. CF38: Llan F .2E 5
Muni Art Cen. .2E 4
Muriel Ter. CF46: B'nog .4F 1
CF48: Dowl .2B
Murrells Cl. CF38: Llan F .1F 5
MWYNDY .1A
Mwyndy Ter. CF72: Groes F .1A 6
Mynachdy Rd. CF37: Y'bwl .4A 3
Mynydd Glas CF34: Nantyff .6C 6
Mynydd Golwg CF32: Lew .2H

nydd-yr-Eos CF40: P'graig 6G 37
nydd y Seren CF39: T'fail 2C 48
rtle Row CF42: Treo 1E 29

N

nntddu Ter. CF46: T'harris 1H 33
  (off Cardiff Rd.)
nt Celyn CF44: Hirw 1C 8
nt Dyfed CF38: Bed 2B 58
nt Eirin CF39: T'fail 1C 48
NTGARW 6F 53
ntgarw China Works Mus. 5G 53
ntgwyddon Cl. CF41: Gelli 5A 30
nt Gwyn CF39: Porth 2B 44
ntgwyn CF44: C'dare 5A 10
nt Gwyn CF46: T'lewis 1D 34
ntgwyn St. CF40: P'graig 4F 37
nthir Rd. CF32: B'grw 1A 68
nt Melyn Ter. CF39: T'fail 3F 49
nt Morlais CF48: Pant 1B 6
nt Row CF44: A'dare 2C 14
  (off David Price St.)
nt y Coed CF37: P'prdd 1B 46
nt y Coed CF39: T'fail 2C 48
nt-y-Coed CF38: T'rhiw 2H 17
nt-y-Dall Av. CF37: R'fln 1H 51
nt-y-Fedw CF44: A'non 2E 33
  (not continuous)
nt y Fedw Rd.
  SA13: Croes 2E 65
nt y Felin CF38: E Isaf 2G 59
NTYFFYLLON 6C 64
nt y Ffyllon Ter.
  CF34: Nantyffl 1B 66
ntygwenith St.
  CF48: M Tydfil 5E 5
ntygwenthin Ct.
  CF48: M Tydfil 6E 5
  (off Heol S O Davies)
nt-y-Gwyddon Rd.
  CF40: L'nypia 5A 30
  CF41: Gelli, L'nypia 5H 29
NTYMOEL 1G 69
nt-y-Moel Row
  CF32: N moel 1G 69
nt-y-Mynydd CF37: Glyn 2F 41
ntyrychain Ter.
  CF32: P'mer 5B 68
pier St. CF45: A'non 2D 24
sh St. CF45: A'non 5F 33
vigation Cl. CF46: T'harris 6G 27
vigation Pk. CF45: A'non 5G 33
vy St. CF45: M Ash 2D 24
ath Rd. CF34: Maesteg 3A 66
bo Est. CF41: Ystrad 4A 30
LSON 3E 35
Mson St. CF44: A'man 6D 14
ville Ter. CF44: A'dare 1B 14
wbridge Cl. CF37: P'prdd 1F 47
wbridge Rd. CF72: L'sant 3H 57
w Bryn Ter. CF39: Ynys 1B 38
wcastle St. CF47: M Tydfil 6G 5
w Century St. CF47: T'law 4H 37
w Chapel St. CF42: Treo 1D 28
w Church St.
  CF48: Cefn C 2C 4
wfoundland Ter.
  CF47: M Tydfil 6F 5
  (off Pontmorlais W.)
w Ho's. CF37: P'cae 1C 50
w Inn Cen. CF37: P'prdd 2E 47
w Mkt. Wlk. CF47: M Tydfil 6F 5
w Mill Cotts. CF47: M Tydfil 3H 61
wmill Gdns. CF72: P'clun 1H 61
wpark Shop. Cen.
  CF72: T Grn 5G 57
w Pk. Ter. CF37: T'rest 4G 47
w Rd. CF35: B'cae 6A 54
  CF37: Y'bwl 2C 40
  CF44: C'bach, M Ash 4H 15
  CF45: A'non, M Ash 6G 25
  CF45: C'bach 4H 15
  CF48: M Ash 1C 24
  CF48: Dowl 4A 6
  CF72: B'cae 6A 54
w Scales Ho's.
  CF44: L'coed 3C 10
w St. CF32: P'mer 5A 68
  CF43: Fern 1E 31
  CF44: A'man 5E 15
  CF45: A'non 5F 33
wton St. CF47: M Tydfil 4G 37
wton Ter. CF47: M Tydfil 1C 12
  (off Twynyrodyn Rd.)
WTOWN 3E 25
wtown Ind. Est.
  CF38: Llan F 6F 51

New Tynybedw St. CF42: Treo 1E 29
Neyland Cl. CF38: Tont 3H 51
Niagara St. CF37: T'rest 3F 47
Nibloe Ter. CF47: M Tydfil 3H 5
  (off Gwaunfarren Rd.)
Nicholas Ct. CF41: Ton P 4F 29
Nightingale Gdns.
  CF38: Chu V 4F 51
Nightingale's Bush
  CF37: P'prdd 3G 47
Nightingale St. CF48: A'naid 5D 12
Nile Rd. CF37: T'rest 3F 47
  CF40: T'law 4H 37
Ninian St. CF42: Treh 4E 21
  CF42: Treo 6H 21
Ninth Av. CF44: Hirw 3D 8
  CF47: M Tydfil 2G 5
Nixonville CF48: M Vale 6A 18
Noel Ter. CF48: A'fan 1A 26
Norman Ter. CF47: M Tydfil 5F 5
  CF48: P'bach 3A 6
  (off Dyffryn Rd.)
North Av. CF44: A'man 1B 14
North Rd. CF32: Ogm V 4G 69
  CF39: Porth 6D 38
  CF43: Fern 6H 23
North St. CF34: Caerau 3D 64
  CF37: P'prdd 1F 47
  CF45: A'non 3G 33
  CF47: M Tydfil 4H 5
  CF48: Dowl 3A 6
North Ter. CF37: T'pandy 3C 36
  CF43: Maer 3C 22
North Vw. Ter. CF44: A'man 6E 15
Norton Ter. SA13: G'cwg 1B 64
Nuns Cres. CF37: P'prdd 1D 46
Nursery Rd. SA13: G'cwg 2A 64
Nythbran Ter. CF39: Porth 6E 39

O

Oak Cl. CF72: T Grn 5G 57
Oakdale Rd. CF40: W'twn 2G 43
Oakdale Ter. CF40: W'twn 1G 43
Oakfield Cres. CF38: Tont 4B 52
Oakfield Ter. CF32: N moel 2H 69
Oakland Cl. CF48: A'fan 5A 18
Oakland Cres. CF32: N moel 2H 69
Oakland Cres. CF37: C'fydd 5H 41
Oakland Dr. CF41: Ystrad 4H 29
Oaklands CF48: M Vale 2B 26
  CF72: P'clun 1H 61
Oaklands Bus. Pk.
  CF43: Fern 2E 31
Oakland St. CF45: M Ash 4E 25
  CF46: B'nog 5E 19
Oakland Ter. CF37: C'fydd 5H 41
  CF43: Fern 2E 31
  CF46: T'harris 6F 27
Oakley Ter. CF40: W'twn 2G 43
Oak Ridge CF35: B'mll 4H 71
Oak Rd. CF47: M Tydfil 3F 5
Oaks, The CF38: Llan F 5F 51
  CF46: T'harris 2C 34
Oak St. CF37: R'fln 1G 53
  CF39: Gilf G 6B 42
  CF40: T'pandy 2B 36
  CF41: Gelli 5G 29
  CF42: Treh 5E 21
  CF43: Fern 6H 23
  CF44: A'dare 2C 14
Oak St. Cl. CF37: R'fln 1G 53
Oak Ter. CF32: Ogm V 6G 69
  CF44: A'boi 6G 15
  CF48: Dowl 5F 25
Oakwood CF34: Maesteg 6E 67
Oakwood Cl. CF44: A'dare 1A 14
Oakwood Dr. CF34: Maesteg 5E 67
  CF39: T'fail 2D 48
Oakwood St. CF37: T'rest 6D 47
Ocean St. CF42: Treo 3B 28
Odessa St. CF41: Gelli 5H 29
Office Ho's. CF44: A'dare 6F 11
Office St. CF39: Porth 6D 38
Ogmore Ter. CF32: N moel 1G 69
OGMORE VALE 5G 69
Ogmore Valley Leisure Cen. 5G 69
Ogwy St. CF32: N moel 1G 69
Old Brithweunydd Rd.
  CF40: T'law 4G 37
Old Cemetery Rd. CF45: A'non . . .3F 33
Old Chapel rd. CF48: Cefn C 3C 4
Old Church St. CF48: Cefn C 3C 4
Old Dan-y-Deri CF48: M Vale 6B 18
  (off Argoed Ter.)

Old Farm La. CF15: Cre 2G 63
Old Llanharan Rd.
  CF35: B'cae 6B 54
Old Mill La. CF47: M Tydfil 6F 5
Old Nantgawr Rd.
  CF15: N'grw 5G 53
Old Parish Rd. CF35: B'mll 5H 71
  CF37: Y'bwl 2C 40
Old Parish Rd. Ind. Est.
  CF37: Y'bwl 2C 40
Old Pk. Ter. CF37: T'rest 4G 47
Old Pen-Rhys Rd.
  CF41: Ystrad 5C 30
Old Penywern Chapel
  CF48: Dowl 2B 6
  (off Up. Row)
Old School Cl. CF48: M Tydfil 5E 5
Old Station Yd. CF32: P'mer 4A 68
Old Stone Row SA13: G'cwg 1B 64
Old St. CF40: T'pandy 2D 36
Old Winch Fawr Rd.
  CF48: M Tydfil 5A 4
Old Ynysybwl Rd.
  CF37: Y'bwl 5A 32
Oliver St. CF37: P'prdd 2C 46
Oliver Ter. CF37: T'rest 5G 47
Olive Ter. CF39: Porth 2A 44
Orchard Cl. CF39: Porth 6E 39
  CF48: A'fan 5A 18
Orchard Dr. CF37: Glyn 4E 41
Osbourne Ter. CF32: N moel 1H 69
Other St. CF37: Y'bwl 5B 32
Oval, The CF47: M Tydfil 6H 5
Overton St. CF48: Dowl 2A 6
Owen St. CF37: R'fln 1A 52
Oxford Cl. CF32: Ogm V 5G 69
Oxford St. CF15: N'grw 5E 53
  CF32: P'mer 4A 68
  CF37: T'rest 5G 47
  CF43: Maer 4D 22
  CF44: A'dare 1B 14
  CF45: M Ash 2D 24

P

Packers Rd. CF39: Porth 5C 38
Paddocks Cres. CF72: P'clun 3D 60
Paddocks, The CF38: Chu V 4F 51
  (not continuous)
  CF39: T'fail 5B 44
  CF44: A'man 3E 15
  CF72: Groes F 3E 63
Padley's Cl. CF34: Maesteg 5F 67
Paget St. CF37: Y'bwl 6B 32
Painter's Row CF42: Treh 3F 5
Pait St. CF32: P'mer 5B 68
Palalwyf Av. CF72: P'clun 2F 61
Palm Rd. CF47: M Tydfil 2F 5
Pamela St. CF45: M Ash 3C 24
Pandy Cl. CF47: M Tydfil 4D 4
Pandy Ter. CF47: M Tydfil 5H 5
Pandy, The CF44: Hirw 1D 8
Pandy Vw. CF46: T'lewis 1D 34
PANT .1A 6
Pantanas CF46: T'harris 1B 34
Pantcadifor 6F 7
Pant Cl. CF48: Pant 6F 7
Pant Du Rd. CF37: C'fydd 3H 41
Pantglas Fawr CF48: A'fan 5A 18
Pantglas Rd. CF48: A'fan 5A 18
Pantile Row SA13: G'cwg 1B 64
Pant Ind. Est. CF48: Pant 1H 5
Pant Rd. CF48: Dowl, Pant 6F 7
Pant Station 5E 7
Pant Ter. CF48: Dowl 2A 6
Pantycelynen Aberdare Rd.
  CF48: M Tydfil 6E 5
Pant-y-Cerdin CF44: C'bach 3F 15
Pant y Ddderwen CF72: T Grn . . .6E 57
Pant-y-Fedwen CF44: A'man 5E 15
Pantyfyn Rd. CF47: M Tydfil 5H 5
Pant-y-Gog CF32: P'mer 5B 68
PANTYGRAIG-WEN 1C 46
Pantygraigwen Rd.
  CF37: P'prdd 1C 46
PANT-YR-AWEL 3H 71
Pant-yr-Eos CF44: A'dare 5G 11
Pant-y-Seren CF39: T'fail 3D 48
Pantysgallog Ter. CF48: Pant 1B 6
  (off Pant Rd.)
Parade, The CF37: P'prdd 1F 47
  CF38: Chu V 5G 51
  CF39: Porth 6D 38
  CF41: Ton P 4F 29
  CF43: Fern 6G 23
Parc Afon CF40: T'law 5A 38

Parc Bryn Derwen
  CF72: L'haran 6F 55
Parc Castell-y-Mynach
  CF15: Cre 1G 63
  (not continuous)
Parc Cenedlaethol Bannau Brycheiniog
  . . . . .2A 4 & 1F 9
Parc Coedwig Afan . . . . . .2A 64 & 1A 66
Parc Glas CF44: C'dare 6B 10
Parc Manwerthu Tonysgyboriau
  CF72: T Grn 2G 61
Parc Nant Celyn CF38: E Isaf 6A 52
Parc Nantgarw CF15: N'grw 5F 53
Parc-Tyn-y-Waun
  CF34: Pont R 3F 67
Parc Wenallt CF46: T'harris 6F 27
Parc-y-Bryn CF15: Cre 1F 63
  CF38: Llan F 5F 51
Parc-y-Coed CF15: Cre 2G 63
Parc-y-Felin CF15: Cre 2F 63
Parc-y-Fro CF15: Cre 1G 63
Parc-y-Nant CF15: N'grw 6G 53
Parfitt Cl. CF43: Tylor 3F 31
Parish Rd. CF38: Bed 6C 50
Park Av. CF32: Ogm V 6G 69
Park Cl. CF37: T'rest 5F 47
  CF42: Treh 4D 20
Park Cres. CF37: T'rest 4G 47
  CF39: Porth 6C 38
  CF42: Treo 2C 28
  CF46: T'harris 6F 27
  CF47: M Tydfil 6G 5
  CF72: P'clun 2E 61
Parkfield Rd. CF44: C'bach 2F 15
Park Gro. CF44: A'dare 6D 10
Pk. Hill CF45: M Ash 4E 25
Park Hill CF45: M Ash 2C 24
Parkland Cres. CF39: T'fail 6A 44
Parkland Rd CF39: T'fail 6A 44
Park La. CF44: A'dare 6C 10
  CF46: T'harris 1A 34
  CF72: Groes F 2D 62
  SA13: B'gnfi 5F 65
Park Pl. CF37: C'fydd 3H 41
  CF40: T'pandy 3D 36
  CF42: Treh 3D 20
  CF43: Maer 3C 22
  CF48: T'rhiw 3H 17
Park Prospect CF37: P'prdd 1D 46
Park Rd. CF40: P'graig 5G 37
  CF42: Treo 3A 28
  CF43: Fern 2E 31
  CF43: Maer 3C 22
  CF44: A'man 4E 15
  CF45: A'non 3F 33
  (off Margaret St.)
Park Row CF47: M Tydfil 5E 5
Park Row Gdns. CF47: M Tydfil . . .4F 5
Park Side La. CF37: P'prdd 2E 47
Park St. CF32: N moel 2H 69
  CF32: P'mer 3B 68
  CF34: Maesteg 5D 66
  CF37: T'rest 4G 47
  CF39: Porth 5B 38
  CF40: T'pandy 2B 36
  CF43: Tylor 2E 31
  CF45: A'non 6F 33
  CF45: M Ash 4E 25
  SA13: G'cwg 2A 64
Park Ter. CF42: Treo 2B 28
  CF46: T'lewis 1D 34
  CF47: M Tydfil 5F 5
  CF48: P'bach 5E 13
  CF72: L'haran 4F 55
Park, The CF46: T'harris 5F 27
Parkvale Vw. CF72: L'sant 5A 58
Park Vw. CF34: Maesteg 6E 67
  CF39: Ynys 2C 38
  CF41: Gelli 4G 29
  CF43: Tylor 4G 31
  CF44: A'dare 6F 11
  CF44: A'man 6A 14
  CF45: A'non 3G 33
  CF72: L'haran 5G 55
  CF72: L'sant 4H 57
Park Vw. Ter. CF44: A'boi 6B 4
  CF48: H'rrig 6B 4
Parrys Dr. CF45: A'non 2E 33
Parsons St. CF41: Ton P 4F 29
  CF72: L'sant 5F 31
Partridge Av. CF40: L'nypia 1F 37
Partridge Rd.
  CF40: L'nypia, T'law 6D 30
Partridge Sq. CF40: L'nypia 1F 37
Partridge St. CF41: Ton P 4G 29
Patch, The CF72: L'sant 5B 60
Patricia Cl. CF47: M Tydfil 1C 12
  (off Fairview Ter.)
Pavia Ct. CF37: P'prdd 2E 47

Pavilion Ind. Est.
CF45: M Ash 3D 24
Pearce's Ct. CF48: Cefn C 3C 4
Pearson Cres. CF37: Glyn 4E 41
Pease La. CF47: M Tydfil 2C 12
Pembroke Cl. CF38: Tont 3H 51
CF48: M Tydfil 5A 4
Pembroke Cres. CF72: L'sant . . .2E 57
Pembroke Pl. CF47: M Tydfil . . .4H 5
Pembroke St. CF44: A'dare 1C 14
CF48: T'rhiw 1A 18
Pembroke Ter. CF32: N moel . .1H 69
Pembrook St. CF39: T'fail 3D 48
Penallta Community Pk. 3H 35
Penbryn Coch CF72: L'harry 3A 60
Pen Bryn Hendy CF72: P'clun . . .2G 61
Pencai Ter. CF42: Treo 2D 28
Pencerrig St. CF37: P'prdd 2D 46
Pencoed Av. CF37: P'prdd 2G 47
Pen Darren CF39: Porth 2A 44
Pendarren St. CF44: A'dare 2B 14
Penderyn Pl. CF44: A'man 3D 14
Penderyn Rd. CF44: Hirw 1C 8
SA13: Croes 2F 65
Pendoylan Rd. CF72: Groes F . .3C 62
Pendre Cres. CF72: L'haran . . .3F 55
Pengarnddu Ind. Est.
CF48: Pant 1D 6
Pengurnos CF47: M Tydfil 2E 5
Pen Hendy CF72: P'clun 2G 61
Penheol Ely Rd.
CF37: P'prdd 1G 47
Penheolferthyr CF47: M Tydfil .1D 12
Penhydd Rd. SA13: Croes 2F 65
PEN-IARD 5H 5
Penlan St. CF48: P'bach 5F 13
Penlan Vw. CF48: M Tydfil 1A 12
Pen Llew Cl. CF44: A'dare 6B 10
Penllwyngwent Ind. Est.
CF32: Ogm V 4G 69
Penlocks CF48: T'harris 2A 34
Penmain St. CF39: Porth 5C 38
Penmark Row CF44: Hirw 1C 8
. . . . .5F 5
Penn St. CF46: T'harris 6F 27
Pen Parcau CF32: L'nor 4A 70
Penpisgah Rd. CF40: P'graig . . .5F 37
Pen-Pych Cl. CF42: B'ndda 2B 20
PENRHIWCEIBER 5E 25
Penrhiwceiber Rd.
CF45: M Ash 4E 25
Penrhiwceiber Station (Rail) . .5G 25
Penrhiw-Fer Rd. CF39: T'fail . . .3G 43
CF40: T'fail, W'twn 3G 43
CF40: W'twn 1G 43
Penrhiwgwynt Rd.
CF39: Porth 6D 38
Penrhiw Rd. CF37: P'prdd 4D 46
CF41: Gelli 5G 29
PENRHYS 5E 31
Penrhys Rd. CF41: Ystrad 5C 30
CF43: P'rhys, Tylor, Ystrad .5C 30
Penrhys Uchaf CF43: P'rhys . . .5E 31
Penry St. CF48: M Tydfil 6F 5
PENTRE 2C 28
PENTREBACH 3G 47
. . . . .5F 13
Pentrebach Ind. Est.
CF48: P'bach 4E 13
Pentrebach Rd.
CF37: P'prdd, R'fln 3G 47
CF48: M Tydfil 3C 12
Pentre-bach Station (Rail) 5D 12
Pentrebeili Pl. CF32: Lew 2H 71
Pentrebeili Ter. CF32: Lew 2H 71
Pentre Rd. CF41: Pentre 2F 29
CF43: Maer 4C 22
Pentwyn Av. CF45: M Ash 1C 32
Pentwyn Ct. CF44: Peny 2G 9
Pentwyn Deintyr
CF46: T'harris 2A 34
Pen-Twyn Rd.
CF42: Pentre, Ton P, Treo . .2D 28
Pentwyn Rd. CF46: T'harris . . .2C 34
Pentwyn Vs. CF47: M Tydfil 4F 5
Pentyla CF34: Maesteg 3B 66
Pen Tyntyla CF43: P'rhys 5E 31
Penuel La. CF37: P'prdd 2E 47
Penuel St. CF47: M Tydfil 1D 12
PENYARD 5H 5
Penyard Rd. CF44: Hirw 1D 8
. . . . .5G 5
Pen-y-Banc CF39: Porth 2B 44
Penybont Rd. CF35: P'coed . . .6A 54
Pen-y-Bryn CF37: Glyn 4F 41
Penybryn CF44: Peny 4H 9
CF47: M Tydfil 3H 5
Pen-y-Bryn SA13: Croes 2E 65
Penybryn Rd. CF45: M Ash 6F 25

Penybryn St. CF39: Gilf G 6C 42
CF44: A'dare 6D 10
Penybryn Ter. CF45: M Ash 5F 25
Penybryn Vw. CF47: M Tydfil . . .5H 5
Penybryn Vs. CF47: M Tydfil . . .3H 5
Pen y Coed Cae Rd.
CF37: Bed, P'cae 6B 50
CF38: Bed 6B 50
Pen-y-Darren Cl. CF37: P'prdd .1E 47
Penydarren Gdns.
CF47: M Tydfil 5G 5
Penydarren Pk. CF47: M Tydfil .5G 5
Penydarren Rd. CF47: M Tydfil .5G 5
Penydre CF39: Porth 3B 44
Pen-y-Dre CF47: M Tydfil 2E 5
Penyfan Vw. CF47: M Tydfil 2E 5
Pen-y-Fro CF44: C'dare 6A 10
Penygarreg Rd. CF39: T'fail . . .3E 49
PENYGAWSI 5H 57
PENYGRAIG 6F 37
Penygraig Ind. Est.
CF40: P'graig 5F 37
Penygraig Rd. CF40: P'graig . . .6F 37
Pen y Graig Ter. CF37: Y'bwl . .6B 32
Penygran Ter. CF34: Maesteg . .5D 66
Pen y Groes CF72: Groes F . . .2D 62
Pen-y-Groes Heol
CF46: T'lewis 5G 27
(off High St.)
Penylan Rd. CF37: P'prdd 3D 46
Pen y Mynydd CF32: L'nor 3A 70
Pen-y-Mynydd CF37: Glyn 3F 41
SA13: Croes 2F 65
Pen-y-Parc CF38: Bed 6B 50
Pen-yr-Eglwys
CF38: Chu V, Llan F 5F 51
PEN-YR-ENGLYN 4F 21
Pen-yr-Heol CF44: Peny 3H 9
Pen-y-Rhiw CF41: Ystrad 4B 30
Pen-yr-Ysgol
CF34: Maesteg 5B 66
PENYWAUN 3G 9
Penywaun CF38: E Isaf 2H 59
PEN-Y-WERN 2A 6
Pen-y-Wern SA13: Croes 2G 65
Penywrlod CF82: G'gaer 1H 35
Pergwm St. CF40: T'waun 4H 37
Perrott Pl. CF46: T'harris 1B 34
Perrott St. CF46: T'harris 1B 34
Perthlwyd CF44: Peny 3G 9
Perthygleision Cres.
CF48: A'fan 1A 26
Perthygleision Bri.
CF48: A'fan 1A 26
(off Station Hill)
Peterston Rd.
CF72: Groes F 3E 63
Philips Ter. CF47: M Tydfil 1C 12
Phillip Row CF44: C'bach 3H 15
Phillips Ter. CF37: P'prdd 6G 39
Phillip St. CF37: P'prdd 4D 46
CF44: A'dare 6E 11
CF45: M Ash 2D 24
Phyllis St. CF48: T'rhiw 1A 18
Picton Pl. CF34: Nantyff 1C 66
Picton St. CF34: Nantyff 1C 66
Picton St. CF72: L'haran 4G 55
(off Danygraig Rd.)
Pine Cl. CF47: M Tydfil 2F 5
Pine St. CF38: Llan F 2E 59
CF72: T Grn 4A 62
Pinecroft Av. CF44: C'bach 1F 15
Pines, The CF44: Hirw 2F 7
Pine St. CF43: Fern 6H 23
Pine Tree Way CF46: Nels 5B 27
Pine Wlk. Dr. CF39: Porth 1E 45
Pinewood Av. CF37: R'fln 2H 53
Pinewood Dr. CF40: T'law 4G 37
Pinewood Hill CF72: T Grn 5E 57
Pinewood Vw. CF37: Glyn 3E 41
Pit Pl. CF44: C'bach 3G 15
Pit Row CF44: C'man 5B 14
Pit St. CF34: Maesteg 6E 67
Plane Gro. CF47: M Tydfil 2F 5
Plane St. CF37: R'fln 2G 53
Plantation Cl. CF47: M Tydfil . . .4G 5
Plantation Gdns.
CF45: A'non 3F 33
Plantation Rd. CF45: A'non 5F 33
Plantation Sq. CF48: T'rhiw 2H 17
Plantation Ter. CF48: A'fan 4A 18
Plas Carmel CF37: P'prdd 2D 46
Plas Dafydd CF44: A'dare 6C 10
(off Mt. Pleasant St.)
Plas Derwen CF48: T'rhiw 1H 17
Plasdraw Av. CF44: A'dare 1D 14
Plasdraw Dr. CF44: A'dare 1D 14
Plasdraw Rd. CF44: A'dare 1D 14
Plasmarl CF44: L'coed 3B 10

Plasnewood St.
CF34: Maesteg 4C 66
Plas-y-Fedwen CF37: Glyn 3F 41
Plas yr Eglwys CF37: P'prdd . . .1F 47
(off Dorothy St.)
Plas-yr-Odyn CF72: L'harry 3B 60
Pleasant Gro. CF44: C'bach . . .2H 15
Pleasant Hgts. CF39: Porth 4C 38
Pleasant Hill CF43: Fern 1E 31
Pleasant Rd. CF40: P'graig 6F 37
Pleasant St. CF41: Pentre 3F 29
Pleasant Ter. CF40: T'pandy . . .2B 36
CF41: Ystrad 4B 30
(off Arthur St.)
Pleasant Vw. CF34: Caerau 4D 64
CF37: P'prdd 1F 47
(Trallwng)
CF37: P'prdd 1G 45
(Trehafod)
CF37: Y'bwl 3A 32
CF38: Bed 1C 58
CF39: Ynys 1B 38
CF40: W'twn 3G 43
CF41: Pentre 3G 29
CF43: Tylor 5F 31
CF46: B'nog 3E 19
Pleasant Vw. CF46: T'harris . . .1A 34
CF48: A'fan 2A 26
CF48: T'rhiw 2A 18
(off Cardiff Rd.)
Pleasant Vw. Pk. CF44: Peny . .5A 10
Pleasant Vw. St. CF44: A'man .5E 15
CF47: M Tydfil 5E 5
Plymouth Rd. CF37: P'prdd 2C 46
Plymouth St. CF47: M Tydfil . . .1C 12
Plymouth Ter. CF47: M Tydfil . . .2C 12
(off Railway St.)
Poets Cl. CF37: R'fln 1G 53
Pond Mawr CF34: Maesteg 6F 67
Pond Pl. CF44: C'bach 3H 15
Pond Row CF48: A'naid 3D 6
PONTCYNON 3F 33
Pontcynon Ind. Est.
CF45: A'non 2F 33
Pontcynon Ter. CF45: A'non . . .3F 33
(not continuous)
Pontmorlais W. CF47: M Tydfil . .5F 5
Pont-Pentre Cvn. Pk.
CF37: Up Bo 2C 52
(off Crwys Cres.)
Pontrhondda Av.
CF40: L'nypia 5C 30
Pontrhondda Rd. CF40: L'nypia . .6D 30
PONT RHYD-Y-CYFF 3F 67
Pontsarn Rd. CF48: M Tydfil . . .1G 5
Pontshonnorton Rd.
CF37: C'fydd, P'prdd 6G 41
PONT SIÔN NORTON 6G 41
Pont-y-Capel Rd. CF48: Cefn C . .3C 4
PONTYCLUN 2F 61
Pontyclun Station (Rail) 2E 61
PONTYCYMER 4A 68
PONTYGWAITH 6G 31
PONTYPRIDD 3E 47
Pontypridd College
Pontypridd Campus 2G 53
PONTYPRIDD COTTAGE HOSPITAL
(Y BWTHYN) 2G 47
Pontypridd Cottage R.U.F.C.
(Sardis Rd. Ground) 3F 47
Pontypridd Cricket Club 3F 47
Pontypridd Mus. 2E 47
Pontypridd Rugby Football Ground
. . . . .2D 46
Pontypridd Station (Rail) 3E 47
Poplar M. CF48: T'rhiw 2A 18
(off Poplar St.)
Poplar Pl. CF48: T'rhiw 2H 17
CF48: Tre'han 1D 4
Poplar Rd. CF37: R'fln 2G 53
Poplars, The CF45: M Ash 2E 25
CF72: L'harry 4A 60
Poplar St. CF48: T'rhiw 2H 17
Poplar Ter. CF48: P'bach 5E 13
(off Hamilton St.)
Poplar Way CF47: M Tydfil 2F 5
Porcher Av. CF37: Glyn 4E 41
PORTH 5D 38
Porth Station (Rail) 6D 38
Porth St. CF39: Porth 6D 38
Port Reeve Cl. CF72: L'sant . . .5H 57
Port Ter. CF34: Maesteg 4C 66
Post Office La.
CF47: M Tydfil 6F 5
Potters Fld. CF44: A'dare 5C 10
Powells Pl. CF39: Porth 6D 38
(off Porth St.)
Powell St. CF40: T'pandy 3E 37
(off Berw Rd.)

Powell St. CF46: B'nog 4E 1
Powys Pl. CF37: R'fln 5H 4
Powys Rd. CF37: Up Bo 4D 5
Precinct, The CF38: Tont 4A 5
Prescelly Rd SA13: Croes 2F 6
Prescilla Ter. CF46: T'lewis 5G 2
Presteigne Av. CF38: Tont 3H 5
Prestoria Rd. CF39: T'fail 6B 4
Pretoria St. CF32: B'grw 1A 6
Price St. CF41: Pentre 2F 2
CF44: A'dare 2C 1
(off Griffith S)
CF48: Cefn C 3C
PRICE TOWN 2H 6
Prichard St. CF39: T'fail 6A 4
Primrose Cl. CF46: Nels 3E 3
CF48: Pant 1A
Primrose Cotts. CF44: Hirw 1D
Primrose Ct. CF39: T'fail 5B 4
Primrose Hill CF37: Y'bwl 2C 4
(off Ffordd Gower Davie)
CF44: A'dare 5C 1
CF47: M Tydfil 1D 1
Primrose St. CF40: T'pandy 3E 3
Primrose Ter. CF39: Porth 6D 3
CF44: A'man 3E 1
PRINCE CHARLES HOSPITAL
(YSBYTY TWYSOG SIARL) . . .2F
Princess Louise Rd.
CF40: L'nypia 1F 3
Princess St.
CF34: Maesteg 5D 6
CF37: T'rest 4F 4
CF41: Gelli 4A 3
CF43: Fern 5H 2
Prince's St. CF42: Treh 2E 2
CF42: Treo 1E 2
Priory Cl. CF37: P'prdd 6D 4
Priory Ter. CF34: Maesteg 4B 6
Pritchard St. CF46: T'harris 5F 2
Prospect Pl. CF32: Ogm V 6G 6
CF32: P'mer 3A 7
CF34: Pont R 2D 4
CF42: Treo 1D 2
CF43: Tylor 3G 3
CF44: C'man 5A 1
CF47: M Tydfil 5G
(off Gwynnes C)
Prosser St. CF45: M Ash 4E 2
CF46: T'harris 1B 3
Protheroe St. CF34: Caerau 3C 6
CF43: Fern 2E 3
Pryce St. CF41: Ton P 4G 2
CF45: M Ash 2D 2
Pwllfa Rd. CF44: C'man 6A 1
PWLL-GWAUN 2D 4
Pwll-Gwaun Rd. CF37: P'prdd . .2D 4
Pytchley Cl. CF72: C Inn 5A 5

Q

QED Cen., The CF37: Up Bo 4D 5
Quakers Vw. CF46: T'harris 1H 3
QUAKERS YARD 2B 3
Quakers Yard Station (Rail) 1H 3
Quarry Hill Cl. CF37: P'prdd 2C 4
Quarry La. CF15: N'grw 6G 5
Quarry Rd. CF37: P'prdd 2D 4
CF45: M Ash 2D 2
Quarry Row CF47: M Tydfil 5F
Quarry St. CF15: N'grw 5F 5
CF43: Tylor 3F 3
QUAR, THE 5F
Quay Row CF48: A'naid 4C 1
Queen Charlotte Dr.
CF15: Cre 3H 6
Queens Dr. CF38: Llan F 1F 5
Queen's Rd. CF47: M Tydfil 6G
Queens Ter. CF48: T'rhiw 1A 1
Queen St. CF32: B'grw 1A 6
CF34: Maesteg 4C 6
CF37: T'rest 4G 4
CF41: Pentre 3F 2
CF41: Ton P 4F 2
CF44: A'man 4E 1
CF44: C'dare 6A 1
CF48: Pant 1B
SA13: G'cwg 1H
Queensway CF15: N'grw 6G 5
Queens Rd. SA13: Croes 2E 6

R

Rachel St. CF44: A'dare 2C 1
Radnor Dr. CF38: Tont 3H 5
Radnor Way CF39: Porth 3B 4

Raglan Gro.—Square, The

aglan Gro. CF48: M Tydfil 4A 4
ailway Gdns. CF48: Pant 1B 6
ailway St. CF44: A'dare 6D 10
CF46: T'lewis 6G 27
ailway Ter. CF32: B'grw 1A 68
CF32: Ogm V 6G 69
CF34: Caerau 4D 64
CF39: Ynys 3C 38
(off South St.)
CF40: P'graig 5F 37
CF40: T'pandy 3C 36
CF41: Gelli 4H 29
CF42: Treo 3B 28
CF44: Hirw 1D 8
CF46: T'harris 6G 27
CF47: M Tydfil 2C 12
CF72: P'clun 2F 61
ailway Vw. CF40: L'nypia 6D 30
CF40: W'twn 1G 43
alph St. CF37: P'prdd 1F 47
amah St. CF42: Treo 6G 21
ascals Playland SK8-X 4C 38
athbone Ter. CF34: Caerau 3C 64
avenhill St. CF41: Gelli 5H 29
aymond Ter. CF37: T'rest 5G 47
ectory Cl. CF48: Dowl 2B 6
edfield St. CF41: Ystrad 5B 30
edhill Cl. CF44: Hirw 1C 8
ed Roofs Cl. CF35: B'nna 5B 54
edrose Hill CF41: Ystrad 4H 29
edwood Dr. CF38: Llan F 1E 59
CF44: C'dare 6B 10
ees Pl. CF41: Pentre 2F 29
ees St. CF41: Gelli 5H 29
CF42: Treo 1E 29
CF47: M Tydfil 1C 12
CF48: Dowl 2B 6
ees Ter. *CF37: T'rest 5G 47*
(off Meadow St.)
egent Cl. CF44: A'man 4E 15
egent St. CF42: Treo 1E 29
CF43: Fern 1D 30
CF44: A'man 4E 15
CF48: Dowl 2A 6
eidol Cl. CF42: Treh, Treo 5F 21
CF44: C'bach 2G 15
eola Ind. Est.
CF39: Porth 5C 38
eola Rd. CF39: Porth 5C 38
eola St. CF45: M Ash 5F 25
eolau Ter. CF37: P'prdd 1G 45
HIGOS 5A 8
igos Rd. CF42: Treh 1C 20
CF44: Hirw 1C 8
CF44: Rhig 3A 8
HIWCEILIOG 2A 54
iw Ceris CF44: C'bach 3G 15
iw Felin CF37: R'fln 1G 53
iwfer CF46: Nels 4D 34
iwgarn CF39: Porth 2B 44
iwglyn Rd. CF32: Ogm V 6G 69
iw Nant CF44: A'dare 5G 11
iwsaeson Rd. CF72: C Inn 5B 58
odfa Newydd CF44: C'bach 3G 15
odfa'r CF48: Pant 6F 7
odfa'r Coed
CF34: Maesteg 1E 67
odfa Ter. CF48: T'rhiw 1A 18
RHONDDA 5B 30
ondda Bowl 6H 43
ondda Fach Sports Cen. 3G 31
ondda Fechan Farm
CF43: Fern 6H 23
ondda Heritage Pk. 6F 39
ondda Rd. CF37: P'prdd 2D 46
CF43: Fern 6H 23
ondda Sports Cen. 5B 30
ondda Ter. CF40: L'nypia 1F 37
CF43: Fern 1D 30
os Dyfed CF44: A'man 4D 14
os Helyg CF34: Maesteg 1E 67
os Nathan Wyn
CF44: A'man 3D 14
ossili Cl. CF44: Hirw 2D 8
yd Fach CF48: P'bach 6F 13
yd St. CF40: T'law 3F 37
ydycar Leisure Cen. 2B 12
yd-y-Car Rdbt.
CF48: M Tydfil 2B 12
YDYFELIN 2H 53
yd y Nant CF72: P'clun 2F 61
yd-yr-Helyg CF15: N'grw 5F 53
ys St. CF40: W'twn 2H 43
CF43: P'gwth 1A 38
chard's Row CF44: C'bach 4H 15
chards Ter. CF37: P'prdd 1F 47
CF40: T'pandy 3E 37
CF44: C'bach 4G 15
(off Tirfounder Rd.)
CF46: T'lewis 6G 27
Richard St. CF32: P'mer 4B 68
CF37: C'fydd 4H 41
CF43: Maer 5D 22
CF44: A'boi 6G 15
Richmond Dr. CF44: Hirw 1C 8
Richmond Rd. CF45: M Ash 1D 24
Richmond Ter. CF44: A'dare 6F 11
Rickards St. CF37: P'prdd 3E 47
CF39: Porth 1D 44
Rickards Ter. CF37: P'prdd 3E 47
Ridgeway Cl. CF37: P'prdd 1D 46
Ridgeway Pl. CF38: Tont 4A 52
Ridings, The CF38: Tont 4A 52
CF44: A'dare, C'dare 6B 10
Rink, The CF47: M Tydfil 5G 5
Rise, The CF37: Up Bo 2C 52
CF38: Tont 3H 51
CF39: Porth 4C 38
CF41: Gelli 5H 29
CF44: C'dare 6A 10
CF48: Pant 6G 7
River Row CF48: A'naid 5D 12
River's Edge CF72: P'clun 2E 61
Riverside CF44: Hirw 2F 9
SA13: G'mmer 1E 65
(off School Rd.)
Riverside Cl. CF39: Ynys 2D 38
CF48: A'fan 6A 18
Riverside Ind. Pk. CF37: Up Bo 4D 52
Riverside Pk. CF47: M Tydfil 5E 5
River St. CF32: Ogm V 6G 69
CF34: Maesteg 4D 66
CF37: T'rest 4G 47
CF41: Ystrad 4B 30
River Ter. CF39: Porth 6D 38
CF42: Treo 1C 28
River Vw. CF40: T'pandy 3E 37
River Wlk. CF47: M Tydfil 6F 5
Roberts Av. CF47: M Tydfil 2H 5
Roberts La. CF47: M Tydfil 6F 5
ROBERTSTOWN 6E 11
Robertstown Ind. Est.
CF44: A'dare 6E 11
Robert St. CF37: Y'bwl 6C 32
CF41: Pentre 3F 29
CF72: L'haran 5F 55
Rock Cotts. CF37: P'prdd 1C 46
Rock Dr. CF41: Gelli 5G 29
Rockingstone Ter.
CF37: P'prdd 3G 47
Rock La. CF48: Cefn C 3D 4
Rock St. CF45: M Ash 3D 24
Rock Ter. CF37: Y'bwl 5A 32
Rock Vw. *CF46: T'harris 1H 33*
(off Cardiff Rd.)
Rocky Rd. CF47: M Tydfil 2H 5
Rodericks Ter. CF46: T'harris 1B 34
Rogart Ter. CF37: P'prdd 5F 41
Roman Ridge CF82: G'gaer 1H 35
Rookwood Cl. CF47: M Tydfil 4F 5
Rose Cotts. CF37: P'prdd 2D 46
Rosedale Ter. CF40: L'nypia 1E 37
Rose Hill CF46: T'harris 2A 34
Rosehill Ter. CF39: Gilf G 2C 42
Rose Row CF44: C'bach 4H 15
Rose Ter. CF32: L'nor 5A 70
CF72: L'haran 5F 55
Ross Cl. CF37: P'cae 5D 46
Rosser St. CF37: P'prdd 3D 46
CF43: Fern 2E 31
Ross Ri. CF42: Treh 4E 21
Rowan Cl. CF37: P'cae 5D 46
CF45: M Ash 2E 25
CF46: Nels 3E 35
Rowan Ct. CF44: A'dare 6B 10
CF72: L'harry 6B 60
Rowan Ri. CF48: Tre'han 1D 4
Rowan Tree La. CF72: P'clun 1H 61
Rowan Way CF47: M Tydfil 3F 5
Rowland Ter. CF32: N moel 1H 69
Rowley Ter. CF43: Maer 4D 22
Rowling St. CF40: P'graig 6G 37
Royal Cotts. CF43: Maer 5D 22
Royal Cres. CF47: M Tydfil 4G 5
ROYAL GLAMORGAN HOSPITAL 2F 57
Royal Ter. CF40: T'law 4G 37
Ruperra St. CF72: L'sant 3H 57
Russell St. CF48: Dowl 3A 6
Russell Ter. *CF47: M Tydfil 1C 12*
(off Hampton St.)
Ruthin Way CF38: Tont 3H 51

S

St Aarons Dr. CF72: L'haran 3F 55
St Alban's Bri.
CF42: B'ndda, Treh 2B 20
St Alban's Rd. CF42: Treh 2B 20
St Albans Ter. CF42: Treh 2C 20
St Andrews Cl. CF38: Llan F 1F 59
St Andrews Ct. CF37: P'prdd 3E 47
St Andrew's Rd. CF37: P'cae 5D 46
St Annes Ct. CF72: P'clun 4D 60
St Annes Dr. CF38: Llan F 1F 59
St Cynwyd's Av.
CF34: Maesteg 6C 66
St David's Cl. CF37: N'grw 5E 53
St Davids Cl. CF39: Porth 3B 44
St David's Cl. CF41: Ton P 5F 29
St Davids Cl. CF48: H'rrig 6B 4
St Davids Gdns. CF38: Chu V 4F 51
St David's Pl. CF34: Maesteg 6C 66
St Davids Pl. CF72: L'sant 3A 58
St Davids Rd. CF72: P'clun 3H 61
St David St. CF32: P'mer 3A 68
CF41: Ton P 4G 29
St Donat's Cl. CF48: M Tydfil 5A 4
St Fagans Gro. CF48: M Tydfil 4A 4
St Illtyd CF38: Chu V 3G 51
St James Cl. CF48: P'bach 4E 13
St James's Pk. CF44: C'dare 6A 10
St John's Cl. CF34: Maesteg 5F 67
CF48: Cefn C 2C 4
St Johns Dr.
CF41: Pentre, Ton P 3F 29
St John's Gdns.
CF47: M Tydfil 1C 12
St Johns Gro. CF47: M Tydfil 4H 5
St John's La. CF46: Nels 4D 34
St John's Rd. CF39: T'fail 6A 44
St John's St. CF39: Porth 1D 44
St John St. CF32: Ogm V 6G 69
CF44: A'dare 5D 10
St Joseph's Ter. CF44: C'man 6A 14
St Julius Cres. CF72: L'haran 4F 55
St Luke's Av. CF37: R'fln 1A 52
St Luke's Cl. CF48: Pant 1A 6
CF72: L'haran 3F 55
St Lukes Rd. CF39: Porth 6E 39
St Mark's Cl. CF72: L'haran 3F 55
St Marys Cl. CF37: R'fln 4H 47
St Mary's Cl. CF42: Treh 3D 20
CF47: M Tydfil 4F 5
St Mary's Cres.
CF34: Maesteg 6F 67
St Mary St. CF46: T'lewis 6G 27
St Michael's Av. CF37: T'rest 4F 47
St Michaels Cl. CF38: Bed 1B 58
St Michael's Rd.
CF34: Maesteg 4C 66
St Peters Cl. *CF44: A'boi 6G 15*
(off Cromer St.)
CF72: L'haran 3F 55
St Stephen's Av.
CF41: Pentre 2F 29
St Tydfil's Av. CF47: M Tydfil 6G 5
St Tydfil's Ct. *CF47: M Tydfil 1B 12*
(off Caedraw Rd.)
ST TYDFILS HOSPITAL (YSBUTYR SANTES TUDFUL) 6G 5
St Tydfil Sq. Shop. Cen.
CF47: M Tydfil 6F 5
Salem La. CF38: Tont 4H 51
Salem Ter. CF40: L'nypia 1F 37
Salisbury Cl. CF48: H'rrig 6B 4
Salisbury Rd. CF34: Maesteg 4B 66
CF45: A'non 5F 33
Sand St. CF47: M Tydfil 5F 5
Sandybank Rd. CF41: Ystrad 4A 30
Sarah St. CF48: M Vale 6B 18
Sardis Rd. CF37: P'prdd 3D 46
(not continuous)
Sardis Rd. Ground 3F 47
Saron St. CF37: T'rest 4G 47
Saville Rd. CF32: Ogm V 4G 69
Saxon St. CF47: M Tydfil 5F 5
Scales Row CF44: C'bach 3F 15
Scarborough Rd.
CF37: P'prdd 1G 47
School La. CF37: R'fln 2B 52
School Rd SA13: G'mmer 1E 65
School Rd. CF32: Ogm V 6G 69
CF34: Maesteg 5C 66
CF48: T'rhiw 2A 18
CF72: P'clun 3H 61
School Row CF44: C'bach 3H 15
School St. CF39: Porth 5D 38
(Charles St.)
CF39: Porth 1D 44
(High St.)
CF39: T'fail 6A 44
CF39: Ynys 1B 38
CF40: W'twn 1G 43
CF41: Ton P 4G 29
CF42: B'cwm 3A 20
CF43: Fern 5H 23
School St. CF43: Maer 4C 22
CF43: P'gwth 6F 31
CF44: A'boi 6G 15
CF72: L'sant 4H 57
CF72: P'clun 1F 61
School Ter. CF32: P'mer 4B 68
(Ivor St.)
CF32: P'mer 2A 68
(Tymeinwr Av.)
CF40: T'pandy 2E 37
School Vw. CF46: Nels 3F 35
Scotch St. SA13: Aberg 6G 65
Scott St. CF42: Treh 3C 20
Seaton's Pl. CF37: P'prdd 2D 46
Seaton St. CF37: P'prdd 2C 46
Second Av. CF47: M Tydfil 2G 5
Selina Rd. CF45: A'non 2E 33
Senghenydd St. CF42: Treo 1D 28
Seventeenth Av. CF44: Hirw 3B 8
Seventh Av. CF47: M Tydfil 2G 5
Severn Rd. CF37: Up Bo 3C 52
Seward St. CF47: M Tydfil 4G 5
Seymour Av. CF72: L'haran 3G 55
Seymour St. CF44: A'dare 1C 14
CF45: M Ash 2D 24
Sgubor Goch CF72: L'harry 3B 60
Shady Rd. CF41: Gelli 5H 29
Shakespeare Ri. CF37: R'fln 1G 53
Shelley Wlk. CF37: R'fln 1G 53
Sheppard St. CF37: P'prdd 2D 46
Sherwood St. CF40: L'nypia 6D 30
Shiloh La. CF47: M Tydfil 6G 5
Shingrig Rd. CF46: Nels 2D 34
Shire Ct. CF46: T'harris 1C 34
Shirley Dr. CF48: H'rrig 6B 4
Shoemaker's Row
CF34: Maesteg 4D 66
Shop Ho's. CF44: L'coed 4D 10
Shopping Cen. CF44: Peny 3G 9
Showcase Cinema 5F 53
Shrewsbury Av. CF39: Porth 3B 44
Sidings, The *CF37: T'rest 5G 47*
(off Park St.)
Sierra Pines CF45: M Ash 2A 24
Silverhill Cl. CF37: C'fydd 5H 41
Silverton Rd. CF72: C Inn 5A 58
Simon St. CF40: W'twn 1G 43
Sion Pl. CF44: C'bach 3G 15
Sion St. CF37: P'prdd 2E 47
Sion Ter. CF44: C'bach 3G 15
Six Bells Est. CF48: H'rrig 6C 4
Sixteenth Av. CF44: Hirw 3C 8
Sixth Av. CF47: M Tydfil 2G 5
Smiths Ct. CF48: Dowl 2D 6
Smith St. CF34: Maesteg 4B 66
CF41: Gelli 5H 29
Somerset Cl. CF48: Cefn C 2C 4
Somerset La. CF48: Cefn C 2C 4
Somerset Pl. *CF47: M Tydfil 6G 5*
(off Lwr. Thomas St.)
Southall St. CF72: B'nna 4D 54
South Av. CF44: A'dare 1B 14
SA13: Croes 2F 65
South Dr. CF72: L'sant 4A 58
Southgate Av. CF72: L'sant 4H 57
South Pde. CF34: Maesteg 4D 66
South St. CF37: P'prdd 2F 47
CF39: Ynys 3C 38
CF45: A'non 5F 33
CF48: Dowl 3B 6
South Ter. CF48: Cefn C 3C 4
South Vw. CF32: P'mer 4B 68
CF48: M Vale 3B 26
CF48: T'rhiw 1A 18
SPELTER 5C 64
Spelter Ind. Est. CF34: Nantyff 6C 64
Spelter Site CF34: Nantyff 6C 64
Spencer La. CF37: R'fln 1A 52
Spencer Pl. CF37: R'fln 1A 52
CF46: T'harris 1B 34
(off Commercial Ter.)
Spencer St. CF44: C'man 5A 14
Spion Kop CF32: Ogm V 5G 69
Springfield CF39: Ynys 2D 38
Springfield Cl. CF44: C'bach 3H 15
Springfield Ct. CF38: Chu V 4G 51
Springfield Dr. CF45: A'non 4H 33
Springfield Gdns. CF44: Hirw 1F 9
Springfield Rd. CF43: Maer 3C 22
Springfield Ter. CF37: R'fln 5H 47
CF46: Nels 4E 35
Spring St. CF48: Dowl 2A 6
Spruce Tree Gro.
CF47: M Tydfil 3F 5
Square, The CF38: Bed 6B 50
CF39: Porth 6D 38
CF39: T'fail 3D 48
CF44: C'dare 6A 10
(off Cwmdare Rd.)
CF72: L'haran 4G 55

Squires Ct. CF38: Bed 2C 58
Stables Ct. CF48: Dowl 3B 6
(off Church Row)
Stag St. CF44: A'dare 5C 10
Standard Ter. CF39: Ynys 2C 38
Standard Vw. CF39: Ynys 2C 38
Stanfield Cl. CF48: A'naid 5D 12
(off Chapel St.)
Stanley Rd. CF41: Gelli 5G 29
Stanley Sq. CF43: Tylor 5G 31
STANLEYTOWN 5G 31
Station App. CF72: P'clun 1F 61
Station Hill CF34: Maesteg 4C 66
CF38: A'fan 1A 26
Station Pl. CF44: A'dare 5B 10
Station Rd SA13: B'gnfi 6G 65
SA13: G'mmer 1E 65
Station Rd. CF15: Cre 2G 63
CF32: N moel 1G 69
CF34: Pont R 3F 67
Station Rd. CF38: Chu V, E Isaf . .5H 51
CF37: t'fail 6H 43
CF39: Ynys 3C 38
CF40: T'law 4G 37
CF42: Treo 2D 28
CF43: Fern 1D 30
CF44: Maer 4C 22
CF43: P'gwth 6G 31
CF44: Hirw 1D 8
CF45: A'non 5G 33
CF48: Cefn C 3C 4
CF48: Dowl 2B 6
Station Sq. CF48: M Vale 1B 26
Station St. CF32: B'grw 1A 68
CF34: Maesteg 4C 66
CF39: Porth 6D 38
CF40: P'graig 5F 37
CF42: Treh 4D 20
CF44: C'dare 1C 14
Station Ter. CF34: Nantyff 6C 64
(not continuous)
CF38: Llan F 6F 51
CF40: L'nypia 1E 37
(off Llwynypia Rd.)
CF42: Treh 4D 20
CF43: Maer 4C 22
(off Station Rd.)
CF44: A'man 5B 14
CF45: M Ash 5F 25
CF46: B'nog 4E 19
CF46: Nels 3E 35
CF48: Dowl 2C 6
CF48: M Vale 1B 26
CF72: L'harry 3B 60
CF72: P'clun 2E 61
Stephens Ter. CF45: A'non 4H 33
Storehouse Row CF15: N'grw 6G 53
(off Quarry La.)
Stormy La. CF32: N moel 2H 69
Stow Hill CF37: T'rest 4F 47
Strand CF43: Fern 1D 30
Strand St. CF45: M Ash 3F 25
Strand, The CF32: B'grw 1A 68
Stream St. CF45: M Ash 3D 24
Strydd Silurian
CF72: L'harry 4B 60
Stuart St. CF42: Treh 4D 20
CF42: Treo 6H 21
CF44: A'dare 2C 14
CF47: M Tydfil 5F 5
CF72: P'clun 2E 61
Stuart St. CF72: T Grn 5F 57
(off Cowbridge Rd.)
Suffolk Pl. CF32: Ogm V 6G 69
Summer Dale Cl. CF38: Tont 4H 51
Summerfield Ct.
CF40: T'law 4G 37
Summerfield Dr.
CF72: L'sant 5A 58
Summerfield Pl. CF47: M Tydfil 3H 5
(off Gwaunfarren Rd.)
Summerhill CF47: M Tydfil 6H 5
Summerhill Pl.
CF47: M Tydfil 5F 5
Sunny Bank CF32: Ogm V 5G 69
CF39: Ynys 4C 38
CF40: P'graig 6G 37
CF40: T'pandy 2C 36
CF46: T'harris 2A 34
Sunnybank CF47: M Tydfil 5F 5
Sunny Bank SA13: G'cwg 1A 64
Sunnybank St. CF44: A'man 3D 14
Sunnybank Ter. CF42: Treo 2C 28
Sunny Cr. SA13: Croes 2E 65
Sunny Hill CF43: Maer 3C 22
Sunny Mdws. CF39: T'fail 4D 46
Sunny Side CF37: P'prdd 1D 46
(off Mayfield Rd.)
Sunnyside CF45: A'non 1D 32

Susannah Pl. CF46: T'harris 1A 34
Swansea Rd. CF44: Hirw 2E 9
CF48: M Tydfil 4A 4
Swan St. CF47: M Tydfil 1B 12
CF72: L'sant 4H 57
Swan Ter. CF40: P'graig 5F 37
Sweetwater Pk.
CF34: Tre'han 1D 4
Swn-y-Nant CF38: Chu V 4G 51
SA13: B'gnfi 5F 65
Swn-yr-Afon CF39: Gilf G 4B 42
CF41: Gelli 4H 29
Swn yr Afon CF42: Treo 2E 29
Sycamore Cl. CF44: A'dare 6B 10
Sycamore Cres.
CF34: Tre'han 1D 4
Sycamore Dr. CF40: T'law 4G 37
Sycamore Rd.
CF47: M Tydfil 3F 5
CF72: L'harry 6B 60
Sycamore St. CF37: R'fln 2G 53
Sychbant Av. CF34: Maesteg 6C 66
Syphon St. CF39: Porth 6D 38

T

Tabor Pl. CF34: Maesteg 4D 66
Taff Bargoed Climbing Cen. 1G 27
Taff Bus. Cen. CF37: Up Bo 2C 52
Taff Cotts. CF72: C Inn 5A 58
Taff Glen Vw. CF47: M Tydfil 1C 12
TAFF MERTHYR GARDEN VILLAGE
. . . . .4H 27
Taffs Fall Rd. CF37: Up Bo 3D 52
Taffs Mead Rd. CF37: Up Bo 3C 52
Taff St. CF37: P'prdd 3E 47
CF41: Gelli 4H 29
CF42: Treh 4D 20
CF43: Fern 6H 23
CF48: M Vale 2B 26
Taff Ter. CF40: T'pandy 2C 36
CF45: A'non 6F 33
Taff Vale CF46: T'harris 1G 33
Taffvale Ct. CF47: M Tydfil 5G 5
Taff Va. Flats CF37: P'prdd 3E 47
Taff Va. Shop. Cen.
CF37: P'prdd 2E 47
Taf Olwg CF46: Nels 4D 34
Tai Bach CF48: P'bach 5E 13
Tai Canol CF48: H'rrig 6D 4
Tai Cap Coch CF44: A'boi 6G 15
(off John St.)
Tai Duffryn CF15: N'grw 6G 53
Tai Ebenezer CF37: T'lewis 6H 27
Tai Mawr Way CF48: M Tydfil 4C 4
Tai Newydd CF37: Y'bwl 5B 32
Tai Penyard CF47: M Tydfil 5G 5
Tair'r Briallu CF47: M Tydfil 1F 9
TAI'R-HEOL 5D 34
Tair Twynau CF48: Pant 6G 15
Tair Waun Pl.
CF34: Maesteg 3A 66
Tai Siriol CF46: Nels 4D 34
Tai-yr-Efail CF48: Pant 6F 7
Tai Ysgol Fach CF48: H'rrig 6B 4
(off Horeb St.)
Talana Ter. CF34: Caerau 4C 64
Talbot Cl. CF72: L'sant 4G 57
TALBOT GREEN 5F 57
Talbot Green Retail Pk.
CF72: T Grn 5G 57
Talbot Rd. CF72: L'sant, T Grn 5G 57
Talbot Sq. CF47: M Tydfil 4H 5
CF72: T Grn 5F 57
Talbot Ter. CF34: Maesteg 4C 66
Taldwyn Ter. CF34: T'rhiw 1A 18
Talgarth St. CF34: Maesteg 5E 67
Tallis St. CF42: Treo 3B 28
Talyfan CF47: M Tydfil 1F 9
Talygarn Cl. CF72: P'clun 4D 60
Talygarn Dr. CF72: P'clun 4D 60
Tanyard Pl. CF44: A'man 3D 14
Tan-y-Bryn CF38: Bed 6H 51
CF39: Porth 1B 44
Tanybryn CF43: Maer 5D 22
Tan y Bryn CF45: M Ash 5F 25
Tan-y-Bryn CF72: B'nna 4D 54
Tanybryn Pl. CF47: M Tydfil 3H 5
Tanybryn St. CF44: A'dare 2C 14
Tanybryn Ter. CF43: P'gwth 1A 38
Tanycoed St. CF45: M Ash 5E 25
Tan-y-Fron CF42: Treo 2D 28
Tan y Marian CF43: Maer 5D 22
Tan-y-Pych CF42: B'ndda 1B 20
Tan-yr Allt CF72: C Inn 5A 58

Tawelfan CF46: Nels 2E 35
Tawelfryn CF48: Cefn C 2B 4
Tegfan CF32: N moel 1H 69
CF43: Fern 6F 23
CF72: P'clun 3E 61
Telelkebir Rd. CF37: P'prdd 1C 46
Temperance Pl.
CF37: P'prdd 2E 47
Temple St. CF34: Maesteg 4D 66
Tennyson Cl. CF37: R'fln 1G 53
Tenth Av. CF47: M Tydfil 2G 5
Terrace, The CF15: Cre 1G 63
Third Av. CF47: M Tydfil 2G 5
Thirlmere Ter. CF44: C'bach 3G 15
Thirteenth Av. CF44: Hirw 4C 8
Thistle Ter. CF40: T'pandy 3E 37
Thomas Jones Sq.
CF48: T'rhiw 2A 18
Thomas' Pl. CF39: Porth 1D 44
Thomas's Pl. CF39: Ynys 2C 38
Thomas St. CF37: P'prdd 2E 47
CF39: Gilf G 6B 42
CF40: P'graig 5E 37
CF40: T'pandy 3D 36
CF41: Pentre 4C 22
CF43: Maer 4C 22
CF44: A'dare 6E 11
CF45: M Ash 4E 25
CF46: Nels 4E 35
CF46: T'harris 1B 34
CF48: A'fan 1A 26
Thomas Ter. CF44: A'man 4E 15
CF48: Dowl 2A 6
THOMAS TOWN
CF47 . . . . .6G 5
THOMASTOWN
CF39 . . . . .3D 48
Thompson St. CF37: P'prdd 2C 46
CF37: Y'bwl 6C 32
Thompson Vs. CF37: Y'bwl 1C 40
Thornbury Cl. CF48: M Tydfil 2A 12
Thornhill Cotts. CF44: C'bach 4H 15
(off Brodeg)
Thornton Cres. CF32: P'mer 5B 68
Thornwood Cl. CF46: Nels 1B 34
Thornwood Pl. CF46: T'harris 1B 34
Three Salmon St.
CF47: M Tydfil 1B 12
Thurston Rd. CF37: P'prdd 1F 47
Thurston St. CF45: A'non 4G 33
Timothy Pl. CF44: C'bach 3F 15
Tir-Afon Ct. CF72: P'clun 2F 61
Tirfounder Rd. CF44: C'bach 3G 15
Tir Meibion La. CF72: L'sant 4H 57
Tir-y-Graig CF38: Tont 3A 52
Ton-Coch Ter. CF45: M Ash 5B 16
Ton Hywel CF39: Porth 2B 44
Tonna Rd.
CF34: Caerau, Nantyff 6C 64
TON PENTRE 4G 29
Ton Pentre Ind. Est.
CF41: Ton P 4G 29
Ton Pentre Station (Rail) 4G 29
Ton Row CF41: Ton P 4H 29
TON-TEG .4A 52
Tonteg Cl. CF38: Tont 3A 52
Tonteg Ind. Est. CF37: Up Bo 2B 52
Ton y Felin CF37: R'fln 1G 53
TONYPANDY 4F 37
Tonypandy Ent. Pk.
CF40: L'nypia 2E 37
Tonypandy Station (Rail) 4F 37
TONYREFAIL 1D 48
Tonyrefail Leisure Cen. 6H 43
Tonyrefail Rd. CF37: P'cae 6H 45
Tourist Info. Cen.
Merthyr Tydfil 6F 5
Pontypridd 1E 47
Tower Rd. CF44: Hirw 2C 8
(not continuous)
Towers, The CF44: Hirw 2D 8
Tower St. CF37: T'rest 4F 47
Towyn Way CF38: Tont 3A 52
Trafalgar Ter. CF41: Ystrad 5B 30
TRALLWNG 1F 47
Tram Rd. CF44: Rhig 4A 8
Tramroad La. CF47: M Tydfil 4G 5
Tram Road Side CF46: T'harris 1G 33
Tramroad Side CF48: H'rrig 6C 4
CF48: M Tydfil 6E 5
Tramroad Side Nth.
CF47: M Tydfil 6G 5
Tramroad Side Sth.
CF47: M Tydfil 1C 12
Tramroad Ter. CF47: M Tydfil 1B 12
(off Tramroad Side Nth.)
Tramway CF44: Hirw 2D 8
Trap La. CF44: A'dare 1D 14
TREALAW 4F 37

Trealaw Rd. CF40: T'law 2F 37
Treasure St. CF42: Treo 6H 21
TREBANOG 2B 44
Trebanog Rd. CF39: Porth 3B 44
TRECYNON 5C 10
Tredegar Av. CF72: L'haran 4F 57
Tredegar Cl. CF72: L'haran 3F 57
TREFECHAN 1D
Trefelin CF34: A'dare 5C 10
TREFOREST 4F 47
Treforest Estate Station (Rail)
. . . . .4D 52
CF37: Up Bo 2C 52
(not continuous)
Treforest Ind. Est.
CF37: Up Bo 5G 52
Treforest Station (Rail) 5G 4
Tre Garth Cl. CF15: Cre 1F 6
Tre Garth Ct. CF15: Cre 1F 6
TRE-GIBBON 2C 1
Tre Gwilym CF44: C'bach 3G 1
TREHAFOD 1H 4
Trehafod Rd. CF37: P'prdd 6G 3
Trehafod Station (Rail) 6G 3
Treharne Flats CF37: R'fln 2H 5
Treharne Rd. CF34: Caerau 4D 6
CF46: T'harris 1H 3
Treharne Row CF34: Maesteg 3C 6
Treharne Ter. CF41: Pentre 3F 2
CF42: Treo 3A 2
CF48: M Vale 6A 1
Treharne Ter. CF46: T'harris 1H 3
TREHARRIS 6F 2
TREHERBERT 2D 2
Treherbert Ind. Est.
CF42: Treh 4E 2
Treherbert Pk. Swimming Pool
. . . . .4D 2
Treherbert Station (Rail) 4D 2
Tre-Ifor CF44: L'coed 2C 1
TRELEWIS 6G 2
Trem-y-Cwm CF38: Bed 1C 5
Trem-y-Garth CF72: L'harry 4B 6
Trem-Y-Glyn CF39: Porth 2A 4
Trem-y-Mynydd CF42: Treh 4D 2
TRENANT .2F
Treneol CF44: A'man 6D 1
Trenos Gdns. CF37: B'cae 5D 5
Trenos Pl. CF72: B'cae 5E 5
Trenos Sth. Vw. CF72: B'cae 1E 2
TREORCHY 1E 2
Treorchy Ind. Est. CF42: Treo 6G 2
(Cae Mawr Ind. Es.)
CF42: Treo 6G 2
(Ynyswen Rd.)
Treorchy Station (Rail) 2D 2
TREORCI .1E 2
Tressilian Pl. CF45: A'non 6F 3
Tre Telynog CF44: C'bach 3G 1
Trevethick St. CF47: M Tydfil 5G
Trevithick Gdns. CF47: M Tydfil . .1C 1
Trevor Cl. CF48: Pant 6G
Trevor St. CF42: Treo 6H 2
CF44: A'dare 2C 1
TREWAUN 2E
Triangle CF48: Cefn C 3C
Triangle Bus. Pk.
CF48: P'bach 4D
Triangle, The CF45: M Ash 1D 2
Trinity Rd. CF40: T'pandy 4F 3
Trip Ter. CF41: Pentre 2G 2
TROEDRHIW-TRWYN 1B 4
TROEDYRHIW 2A 1
Troedyrhiw Rd. CF39: Porth 4C 3
Troed-y-Rhiw Rd. CF45: M Ash 2D 2
Troed-y-Rhiw Station (Rail) 3A 1
Troedyrhiw Ter. CF42: Treo 1E 2
Tudor Av. CF44: Hirw 1D
Tudor Cl. CF48: M Vale 2B 2
Tudor Dr. CF32: L'nor 6B 7
Tudor Est. CF34: Caerau 4C 6
Tudor M. CF72: P'clun 2H 6
Tudor Pl. CF44: A'man 3E 1
Tudor Rd. CF41: Gelli 5G 2
Tudor St. CF37: R'fln 1A 5
CF43: Fern 1D 3
CF47: M Tydfil 5F
Tudor Ter. CF44: A'dare 6D 1
Tudor way CF38: Llan F 6F 5
Turberville CF34: Maesteg 5E 6
CF40: L'nypia 1E
Turberville Rd. CF39: Porth 5C 3
CF40: P'graig 5F 3
Twelfth Av. CF47: M Tydfil 2G
Twyn Bedw CF39: Porth 2C 4
Twyn Carmel CF48: M Tydfil 5A
(not continuo
Twyn Gwyn Rd. CF40: P'graig 5H 3
Twynygarreg CF46: T'harris 6E 2
Twyn-Yr-Eos CF42: Treh 4E 2
TWYNYRODYN 1C

Twynyrodyn Rd. CF47: M Tydfil 1C **12**
Ty Bruce Rd. CF44: Hirw 1E **9**
Ty Bryn Coed SA13: B'gnfi 6G **65**
(off Margaret Ter.)
Ty Bryn Seion CF48: Dowl 3A **6**
(off North St.)
Ty Crwyn CF38: Chu V 5G **51**
Ty Dawel CF39: T'fail 6A **44**
Ty Ddewi CF41: Ton P 4G **29**
Ty Derwen CF34: Nantyff 6C **64**
TYDFIL'S WELL 4E **5**
Tydfil Ter. CF47: M Tydfil 5F **5**
(off Church St.)
CF48: T'rhiw 1A **18**
Ty Draw CF38: Chu V 4G **51**
Ty-Draw Pl. CF44: A'dare 1E **15**
Ty-Draw Rd. CF44: A'dare 1D **14**
Tydu Rd. CF46: Nels 6E **35**
Tydvil Cl. CF46: T'lewis 1E **35**
Tyfica Cres. CF37: P'prdd 2E **47**
Tyfica Rd. CF37: P'prdd 2D **46**
Ty Fry CF44: A'dare 2B **14**
Ty Gwaunfarren CF47: M Tydfil 1E **5**
Tygwyn Rd. CF37: P'prdd 2G **47**
Ty-Gwyn Rd. CF38: Chu V 4G **51**
Tygwyn St. CF47: M Tydfil 4H **5**
Ty Heddlu CF42: Treh 4E **21**
Tyisaf Rd. CF41: Gelli 5H **29**
Tylacelyn Rd.
CF40: P'graig, T'pandy 4F **37**
Tylacoch CF72: L'harry 4A **60**
Tylacoch Pl. CF42: Treo 1C **28**
Tylagarw Ct. CF72: P'clun 1E **61**
Tylagarw Ter. CF72: P'clun 1D **60**
Tyla Gwyn CF15: N'grw 5F **53**
Tylcha Fach Cl. CF39: T'fail 3F **49**
Tylcha Fach Est. CF39: T'fail 3F **49**
Tylcha Fach Ter. CF39: T'fail 3F **49**
Tylcha Ganol CF39: T'fail 3F **49**
Tylcha Isaf CF39: T'fail 3F **49**
Tylcha Wen Ter. CF39: T'fail 2D **48**
Tyle-Fforest CF42: Treh 4E **21**
Tyle Garw CF72: P'clun 1D **60**
Tyle'r Hendy CF72: P'clun 2G **61**
Ty Llwyd Parc CF46: T'harris 2C **34**
Tyllwyd St. CF47: M Tydfil 4H **5**
Ty Llwyd Ter. CF46: T'harris 2C **34**
TYLORSTOWN 4G **31**
Ty Mawr Parc CF37: P'prdd 1B **46**
Ty-Mawr Rd. CF37: P'prdd 1B **46**
Tymawr Ter. CF37: P'prdd 1C **46**
Ty Mawr Uchaf CF37: P'prdd 1B **46**
Tymeinwr Av. CF32: P'mer 2A **68**
Ty-Merchant CF35: P'coed 6A **54**
'YNANT .6C **50**
'ynant Ter. CF15: Cre 3F **63**
CF38: Bed 1C **58**
'YNEWYDD 3C **20**
'ynewydd Row CF32: Ogm V 5G **69**
'ynewydd Sq. CF39: Porth 5C **38**
'yntaldwyn Rd. CF48: T'rhiw 2A **18**
'YNTETOWN 1D **32**
'yntyla Av. CF40: Ystrad 5C **30**
'yntyla Cl. CF40: Ystrad 5C **30**
CF41: Ystrad 5D **30**
'yntyla Pk. CF40: L'nypia 6D **30**
'yntyla Rd. CF40: L'nypia 6D **30**
CF41: Ystrad 5B **30**
'yntyla Ter. CF41: Ystrad 4B **30**
'n-y-Banwen Rd.
CF46: T'harris 1H **33**
'nybedw Cl. CF42: Treo 1E **29**
'nybedw St. CF42: Treo 1E **29**
'nybedw Ter. CF42: Treo 1E **29**
'n-y-Bettws Cl. CF32: L'nor 6B **70**
'nybryn Rd. CF39: T'fail 1H **43**
'nycai Pl. CF40: P'graig 6F **37**
'n-y-Coedcae CF42: Treh 4E **21**
'n-y-Coed Rd.
CF15: Cre, P'rch 5A **53**
'nycoed Ter. CF47: M Tydfil 4H **5**
(off Lloyds Ter.)
'nycymmer Cl. CF39: Porth 6C **38**
'1-y-Waun CF32: L'nor 4B **70**
'ywaun CF41: Ystrad 4B **30**
'n y Wern CF39: T'fail 3E **49**
'Pontrhun CF48: T'rhiw 1H **17**
'Rfelin St. CF45: M Ash 5E **25**
'r Person CF38: Chu V 4G **51**
'r Waun CF15: N'grw 5H **53**
'Twyn CF38: Chu V 4F **51**
'with Cotts. CF34: Nantyff 6C **64**

U

'erhill Dr. CF38: Tont 4A **52**
'erwood Ter.
CF37: P'prdd 1C **46**

Union Pl. CF43: Tylor 3F **31**
CF47: M Tydfil 6G **5**
Union St. CF34: Nantyff 2B **66**
CF37: P'prdd 3E **47**
CF41: Gelli 5H **29**
CF43: Fern 1D **30**
CF44: A'dare 5C **10**
CF45: M Ash 2D **24**
CF47: M Tydfil 6G **5**
Union Ter. CF47: M Tydfil 6G **5**
(off Union St.)
Unity St. CF47: M Tydfil 5F **5**
University of Glamorgan 5F **47**
Uplands CF41: Ystrad 4H **29**
Uplands Dr. CF34: Nantyff 2B **66**
Up. Adare St. CF32: P'mer 2A **68**
Up. Alma Pl. CF41: Pentre 2F **29**
Up. Alma Ter. CF37: T'rest 3F **47**
UPPER BOAT 2D **52**
Up. Boat Ind. Pk.
CF37: Up Bo 2D **52**
Up. Canning St. CF41: Ton P 4F **29**
Up. Church St. CF37: P'prdd 2E **47**
UPPER CHURCH VILLAGE 3G **51**
Up. Colliers Row CF48: H'rrig 6D **4**
Up. Edward St. CF47: M Tydfil 5F **5**
Up. Elizabeth St. CF48: Dowl 3A **6**
Up. Florest Level
CF37: Up Bo 2C **52**
Up. Gaynor Pl.
CF39: Porth, Ynys 4C **38**
Up. Gertrude St. CF45: A'non 5G **33**
Up. High St. CF46: B'nog 4E **19**
CF48: Cefn C 1B **4**
Up. Mt. Pleasant
CF48: T'rhiw 2A **18**
Up. Row CF48: Dowl 2B **6**
Up. St Alban's Rd. CF42: Treh 2B **20**
Upper St. CF34: Maesteg 4B **66**
Up. Taff St. CF42: Treh 4D **20**
Upper Ter. CF43: Tylor 5G **31**
Up. Thomas St.
CF47: M Tydfil 6G **5**
Upper Union St. CF48: Dowl 3B **6**
Up. Vaughan St.
CF37: P'prdd 2D **46**
Upton Pl. CF38: Bed 1C **58**
Upton St. CF39: Porth 5C **38**
CF40: P'graig 5E **37**
SA13: B'gnfi 5G **65**
Urban St. CF47: M Tydfil 3H **5**

V

Vale Gdns. CF37: P'prdd 1D **46**
Vale Vw. CF40: P'graig 6G **37**
CF45: A'non 3F **33**
(off Pontcynon Ter.)
CF72: L'haran 4F **55**
Valeview Ter. CF32: N moel 1G **69**
Vale Vw. Ter. CF45: M Ash 5E **25**
Valley Vw. SA13: Croes 2E **65**
Valley Vw. St. CF44: A'man 5E **15**
Vaughan St. CF37: P'prdd 2D **46**
CF48: Dowl 3A **6**
Vaughan Ter. CF45: M Ash 6F **25**
CF48: Cefn C 3C **4**
Vaynor La. CF48: Cefn C 2C **4**
Vaynor Rd. CF48: Cefn C 2C **4**
Vaynor St. CF39: Porth 5C **38**
Vaynor Vs. CF48: Cefn C 2C **4**
Vernon Cl. CF47: M Tydfil 5H **5**
Vibernum Ri. CF38: Llan F 2E **59**
Vicarage Cl. CF40: P'graig 5G **37**
Vicarage Ct. CF38: Tont 3H **51**
Vicarage Rd. CF39: Porth 4C **38**
CF40: P'graig 5G **37**
Vicarage Ter. CF34: Maesteg 4B **66**
CF42: Treo 2B **28**
Victoria Sq. CF44: A'dare 1C **14**
Victoria St. CF32: P'mer 2A **68**
CF34: Caerau 4D **64**
CF39: Ynys 1B **38**
CF41: Ton P 4G **29**
CF41: Ystrad 4B **30**
CF42: Treh 3D **20**
CF45: M Ash 3E **25**
CF46: T'harris 1B **34**
CF47: M Tydfil 6F **5**
CF48: Dowl 2A **6**
CF48: M Vale 6B **18**
Victoria Ter. CF46: T'harris 2B **34**
Victor St. CF45: M Ash 3C **24**
Victory Av. CF39: Porth 5C **38**
Villas, The CF46: T'harris 1H **33**
Villiers Rd. SA13: B'gnfi 5G **65**
Vincent Pl. CF47: M Tydfil 5F **5**

Violet Rd. CF44: A'man 3D **14**
Vivian St. CF44: A'man 4F **31**
Volunteer Rd. CF41: Pentre 2F **29**
Vulcan Rd. CF47: M Tydfil 5F **5**

W

Wakelin Cl. CF38: Chu V 5G **51**
Waker's Ter. CF48: P'bach 5F **13**
(off Penlan St.)
Walk, The CF44: A'dare 6F **11**
CF47: M Tydfil 5F **5**
Wallhead Rd.
CF47: M Tydfil 1D **12**
Walnut Cl. CF72: P'clun 1H **61**
Walnut Way CF47: M Tydfil 3G **5**
Walsh St. CF45: M Ash 1D **32**
Walters Rd. CF37: P'prdd 4D **46**
Walter's Ter. CF47: M Tydfil 1D **12**
CF48: A'fan 1A **26**
Walter St. CF43: Fern 6H **23**
CF45: A'non 5G **33**
CF48: Dowl 3A **6**
Warlow St. CF47: M Tydfil 2C **12**
Warren Cl. CF37: R'fln 2G **53**
Warren Ter. CF46: T'lewis 1D **34**
Waterloo Pl. CF44: A'dare 5D **10**
Waterloo St. CF44: C'bach 2H **15**
WATTSTOWN 1B **38**
Waun Av. SA13: G'cwg 2A **64**
Waunbaint CF48: M Tydfil 4A **4**
Waunbaint Ct. CF48: M Tydfil 4A **4**
Waun Fach CF32: L'nor 4B **70**
Waun Fach Ter. CF32: N moel 2H **69**
Waun Goch Ter.
CF32: N moel 2H **69**
Waungron CF32: L'nor 4A **70**
Waun Hir CF38: E Isaf 2H **59**
Waun Lwyd Ter. CF32: N moel 2H **69**
Waunrhydd Rd. CF39: T'fail 6H **43**
Waun Rd. CF40: T'pandy 3D **36**
Waun St. SA13: Aberg 6G **65**
Waun Ter. CF39: Porth 3B **44**
Waun Wen Ter. CF32: N moel 2H **69**
Wayne St. CF37: P'prdd 1G **45**
CF39: Porth 5C **38**
CF44: A'dare 6B **10**
Weatheral St. CF44: A'dare 1C **14**
Webster St. CF46: T'harris 6F **27**
Wellfield CF38: Bed 5C **50**
Wellfield Cl. CF38: Chu V 3G **51**
Wellfield M. CF38: Bed 5C **50**
Wellingtonia Cl.
CF47: M Tydfil 1F **5**
Wellington St. CF44: A'dare 5D **10**
Well Pl. CF44: C'bach 2F **15**
(Cwmbach Rd.)
CF44: C'bach 3F **15**
(Timothy Pl.)
Well St. CF45: A'non 5F **33**
CF47: M Tydfil 5F **5**
CF48: Cefn C 3D **4**
Wenallt Cl. CF44: A'dare 1D **14**
Wenallt Rd. CF44: A'dare 6F **11**
Wengraig Rd. CF40: T'law 3F **37**
Werfa CF44: A'dare 5G **11**
Werfa Cl. CF44: A'dare 5H **11**
Werfa La. CF44: A'dare 5G **11**
Wern Cres. CF46: Nels 3E **35**
Wern Isaf CF48: M Tydfil 2B **6**
Wern La. CF48: M Tydfil 1A **12**
Wern Rd. CF40: T'pandy 4E **37**
CF48: Cefn C 3C **4**
Wern St. CF40: T'pandy 2B **36**
CF48: Dowl 2B **6**
Wern Ter. SA13: Croes 1F **65**
Wern Vs. CF44: L'coed 3C **10**
Wesley Cl. CF48: Dowl 3A **6**
Wesley Pl. CF41: Pentre 3G **29**
CF48: M Vale 1B **26**
Wesley St. CF34: Caerau 4D **64**
CF45: A'non 5F **33**
Westbourne Pl. CF47: M Tydfil 2C **12**
CF48: T'rhiw 2H **17**
(off Glantaff Rd.)
Westbourne Ter.
CF72: B'cae 5E **55**
Western St. CF37: P'prdd 1H **45**
Western Ter. SA13: B'gnfi 6G **65**
Westfield Cl. CF72: L'sant 5A **58**
Westfield Rd. CF37: Glyn 4E **41**
West Gro. CF47: M Tydfil 4F **5**
Westhill Dr. CF72: L'sant 5A **58**
W. Mound Cres. CF38: Tont 4A **52**
Weston Ter. CF39: Ynys 2C **38**
CF40: W'twn 2H **43**
CF42: Treo 3B **28**
West Rhondda CF32: Pont-y-r 1C **70**

West St. CF34: Maesteg 5C **66**
CF37: P'prdd 2F **47**
CF45: A'non 4G **33**
W. Taff St. CF39: Porth 6D **38**
West Vw. CF32: L'nor 5A **70**
West Vw. Cres. CF46: T'lewis 1D **34**
Westwood Dr. CF46: T'harris 1A **34**
Wheatley Pl. CF47: M Tydfil 1D **12**
Wheatsheaf La. CF47: M Tydfil 6F **5**
Whitcombe St. CF44: A'dare 1C **14**
Whitebeam Cl. CF47: M Tydfil 1F **5**
Whitefield St. CF41: Ton P 4F **29**
Whiterock Av. CF37: P'prdd 1D **46**
Whiterock Cl. CF37: P'prdd 1D **46**
Whiterock Dr. CF37: P'prdd 1D **46**
Whiterock Pl. CF37: P'prdd 1D **46**
White St. CF48: Dowl 2A **6**
Whitting St. CF39: Ynys 4C **38**
Willaim Trigg CF32: B'grw 1A **68**
Williams Pl. CF37: Up Bo 2C **52**
(not continuous)
CF39: Porth 5C **38**
CF47: M Tydfil 4H **5**
Williams St. CF40: L'nypia 1F **37**
Williams Ter. CF46: T'harris 6F **27**
CF47: M Tydfil 1D **12**
(off Gilfach-Cynon)
WILLIAMSTOWN
CF40 .1G **43**
CF47 .5E **5**
William St. CF32: P'mer 3A **68**
CF37: C'fydd 4H **41**
CF39: Ynys 3D **38**
CF41: Ystrad 4A **30**
CF42: Treh 3D **20**
CF44: A'boi 6G **15**
CF45: A'non 5G **33**
CF47: M Tydfil 5F **5**
(Brecon Rd.)
CF47: M Tydfil 1C **12**
(Twynyrodyn Rd.)
CF72: B'nna 5C **54**
Willow Cl. CF38: Bed 2B **58**
Willowford CF37: Up Bo 5E **53**
Willowford Rd. CF38: Up Bo 3C **52**
WILLOWFORD, THE 4E **53**
Willowford, The CF37: Up Bo 5E **53**
Willow Gro. CF44: A'dare 1A **14**
Willow Rd. CF47: M Tydfil 2F **5**
CF72: L'harry 4A **60**
Willow St. CF37: R'fln 2G **53**
Willow Ter. CF45: M Ash 5F **25**
Wilson Ct. CF47: M Tydfil 1F **5**
(off Caedraw Rd.)
Wilson Pl. CF43: Maer 4C **22**
Wimborne St. CF48: Dowl 2A **6**
WINCHFAWR 6A **4**
Winch Fawr Pk. CF48: H'rrig 6B **4**
Winch Fawr Rd.
CF48: H'rrig, M Tydfil 4A **4**
Windermere Cl. CF44: C'bach 2F **15**
Windsor Ct. CF37: Y'bwl 6B **32**
CF72: P'clun 2F **61**
Windsor Dr. CF72: P'clun 2H **61**
Windsor Gdns. CF38: Bed 5C **50**
Windsor Pl. CF37: Y'bwl 6B **32**
CF41: Pentre 2F **29**
CF46: T'harris 1B **34**
CF47: M Tydfil 5F **5**
CF48: M Vale 6B **18**
(off Alberta St.)
CF48: Pant 1B **6**
Windsor Rd. CF37: T'rest 4G **47**
CF45: M Ash 4D **24**
CF46: T'harris 1H **33**
Windsor St. CF41: Pentre 2F **29**
CF42: Treh 3D **20**
CF42: Treo 1C **28**
CF44: A'dare 5C **10**
CF48: T'rhiw 2H **17**
Windsor Vw. CF44: A'dare 6G **11**
CF47: M Tydfil 1C **12**
Wind St. CF39: Ynys 3C **38**
CF43: Fern 6H **23**
CF44: A'dare 2C **14**
Wingfield Av. CF38: Bed 6B **50**
Wingfield Cl. CF37: P'prdd 2G **47**
Wingfield Ri. CF46: T'harris 2B **34**
Wingfield St. CF48: A'fan 6A **18**
Wingfield Ter. CF46: T'harris 2B **34**
Winifred St. CF45: M Ash 5F **25**
CF48: Dowl 2A **6**
Winslade Av. CF39: T'fail 5A **44**
Witherdene Rd. CF43: Tylor 5G **31**
Wood Ct. CF39: Gilf G 6B **42**
Woodfield Rd. CF72: T Grn 5E **57**
Woodfield St. CF72: B'cae 5E **55**
Woodfield Ter. CF37: P'prdd 1G **45**
CF39: Porth 5C **38**
CF45: M Ash 5E **25**

Woodland Cl. CF32: L'nor 6B 70
Woodland Cotts. CF46: B'nog ...6D 19
Woodland Ct. CF45: A'non 4H 33
Woodland Cres. CF15: Cre 1G 63
   CF45: A'non 4H 33
Woodland Pl. CF46: B'nog 4F 19
   CF47: M Tydfil 6G 5
Woodland Rd. CF38: Bed 1C 58
   CF43: Tylor 5F 31
   CF45: M Ash 2C 24
   SA13: G'cwg 1A 64
Woodlands CF48: T'rhiw 2A 18
Woodlands Av. CF46: T'harris 1A 34
Woodlands Cres.
   CF46: T'harris 2B 34
Woodlands Gro.
   CF32: N moel 1G 69
Woodlands St. CF32: Ogm V 4G 69
Woodlands Ter.
   CF34: Caerau 5C 64
Woodlands, The CF38: Llan F ...6D 50
Woodland St. CF45: M Ash 2C 24
Woodland Ter. CF32: Lew 3G 71
   CF37: P'prdd 3D 46
     (not continuous)
   CF42: Treo 2B 28
     (Tallis St.)
   CF42: Treo 6G 21
     (Ynyswen Rd.)
   CF44: A'man 5E 15
   CF45: M Ash 2C 24
   CF47: M Tydfil 6G 5
Woodland Va. CF42: Treo 6H 21
Woodland Way
   CF48: H'rrig 6C 4
Wood Rd. CF37: T'rest 3F 47
   CF45: A'non 5G 33
Wood St. CF32: P'mer 4B 68
   CF34: Maesteg 5D 66
   CF37: C'fydd 4H 41

Wood St. CF43: Fern 1D 30
   CF43: Maer 3C 22
Woodville Cl. CF43: Fern 6H 23
Worcester Cl. CF48: H'rrig 6C 4
Wordsworth Gdns.
   CF37: R'fln 1H 53
Wordsworth St. CF44: C'man ...5A 14
Wrgant Pl. CF43: Maer 3C 22
WYNDHAM 4G 69
Wyndham Cres. CF44: A'man ...4F 15
Wyndham St. CF32: Ogm V 3G 69
   CF39: Evan 3B 42
   CF39: Porth 1D 44
   CF40: P'graig 5E 37
   CF41: Ton P 5G 29
   CF42: Treh 3C 20
   CF48: Dowl 3A 6
Wyndham St. CF48: T'rhiw 2A 18
   CF72: B'cae 5E 55

Y

Ydderwen CF34: Pont R 2F 67
Y Deri CF38: Llan F 1E 59
Yew Cl. CF47: M Tydfil 2F 5
Yew St. CF47: M Tydfil 1C 12
   CF48: T'rhiw 2A 18
Y Ganofan CF48: Dowl 3A 6
     (off North St.)
Y Garth CF44: C'dare 5A 10
Y Goedlan CF34: Maesteg 1E 67
Y Graig CF48: Pant 6F 7
Y GROES-WEN 3G 53
Ynysangharad Rd.
   CF37: P'prdd 2F 47
Ynysangharad Swimming Pool
   ....2E 47
YNYSBOETH 2E 33

Ynysbryn Cl. CF72: L'sant 4G 57
Ynys Cl. CF37: R'fln 5H 47
Ynyscorrwg Rd. CF37: R'fln 1B 52
Ynys Ct. SA13: G'cwg 2B 64
Ynyscynon Rd. CF40: T'law 3F 37
Ynyscynon St. CF44: C'bach 3F 15
Ynyscynon Ter. CF44: C'bach ...2F 15
Ynysddu CF72: P'clun 1E 61
YNYS-FACH 1A 12
Ynysfeio Av. CF42: Treh 4F 21
Ynysgau St.
   CF41: Gelli, Ystrad 4A 30
Ynys-Gyfelin Rd. CF37: P'prdd ..1E 47
YNYSHIR 3C 38
Ynys Hir CF37: Glyn 2F 41
Ynyshir Ind. Est. CF39: Ynys 4C 38
Ynyshir Rd. CF39: Ynys 1C 38
Ynys Las CF46: Nels 3D 34
Ynys Lwyd St. CF44: A'dare 2C 14
Ynyslyn Rd. CF37: R'fln 1B 52
YNYSMAERDY 2E 57
Ynysmaerdy Ter. CF72: L'sant ...2E 57
Ynysmeurig Rd. CF45: A'non 4G 33
YNYSOWEN 1B 26
Ynysowen Fach CF48: A'fan 5A 18
Ynys Pk. Cotts. CF41: Ton P 4G 29
     (off Ton Row)
Ynys St. CF39: Ynys 2D 38
Ynystaf CF48: M Vale 2B 26
Ynys Ter. CF37: R'fln 6H 47
YNYS, THE 2D 14
YNYS-WEN 5F 21
Ynyswen Ind. Est. CF42: Treo ...5F 21
Ynyswen Rd. CF42: Treo 1F 21
Ynyswen Station (Rail) 6F 21
YNYSYBWL 6C 32
Ynysybwl Rd.
   CF37: Glyn, P'prdd, Y'bwl ...3D 40
Ynysygored Rd. CF48: A'fan 5A 18

York Cl. CF38: Llan F 1F 59
   CF48: H'rrig 6B 4
York Dr. CF38: Llan F 1F 59
York St. CF39: Porth 5D 38
   CF44: A'man 5E 15
   CF45: M Ash 4D 24
York Ter. CF45: M Ash 4D 24
Y PARC 5C 66
Y Parc CF72: Groes F 2D 62
Yr Allt CF72: L'sant 4H 57
Yr Graig CF72: L'sant 4G 57
Yr Hafan CF32: P'mer 6B 68
Yr Hendre CF15: N'grw 5G 53
Yr-Hen-Lawnt CF40: P'graig 6F 37
Yr Ysfa CF34: Maesteg 5C 66
YSGUBOR NEWYDD 1D 12
Ysgubor Celyn CF34: Maesteg ...6C 66
YSTRAD 4B 30
   CF38: Llan F 1E 59
Ystrad Fechan CF42: Treo 2D 28
Ystrad Rhondda Station (Rail)
   ....5B 30
Ystrad Rd.
   CF41: Gelli, Pentre, Ystrad ..3G 29
Ystrad Ter. CF41: Gelli 4H 29
Ysyboeth Factory Est.
   CF45: A'non 2E 33
Y Waun CF37: Y'bwl 5B 32
Y Wern CF32: L'nor 4B 70

Z

Zion Ter. CF40: T'pandy 3E 37
Zoar Av. CF34: Maesteg 3C 66
Zoar Pl. CF34: Maesteg 3C 66
Zoar Ter. CF46: T'harris 2A 34

The representation on the maps of a road, track or footpath is no evidence of the existence of a right of way.

The Grid on this map is the National Grid taken from Ordnance Survey mapping with the permission of the Controller of Her Majesty's Stationery Office.

Copyright of Geographers' A-Z Map Co. Ltd.

No reproduction by any method whatsoever of any part of this publication is permitted without the prior consent of the copyright owners.

Nid yw'r ffaith bod ffordd, trac neu lwybr wedi eu nodi ar y map yn brawf bod hawl tramwyo yn bodoli.

Y grid ar y map hwn yw'r Grid Cenedlaethol a gymerwyd oddi ar Fap yr Arolwg Ordnans gyda chaniatâd Rheolwr Llyfrfa Ei Mawrhydi.

Hawlfraint Geographers' A-Z Map Co. Ltd.

Ni chaniateir atgynhyrchu, trwy unrhyw gyfrwng bynnag, unrhyw ran o'r cyhoeddiad hwn heb sicrhau caniatâd ymlaen llaw gan berchnogion yr hawlfraint.